Creemos y celebramos

Primera RECONCILIACIÓN

Sadlier
División de William H. Sadlier, Inc.

Acknowledgments

Scripture excerpts are taken from the *New American Bible with Revised New Testament and Psalms*. Copyright © 1991, 1986, 1970, Confraternity of Christian Doctrine, Inc., Washington, D.C. Used with permission. All rights reserved. No portion of the *New American Bible* may be reprinted without permission in writing from the copyright owner.

Excerpts from the English translation of *Rite of Penance* © 1974, International Committee on English in the Liturgy, Inc. (ICEL). All rights reserved.

English translation of the Glory to the Father and Lord's Prayer by the International Consultation on English Texts (ICET).

Excerpts from *La Biblia católica para jóvenes*. Copyright © 2005, Instituto Fe y Vida y Editorial Verbo Divino. Used with permission.

Excerpts from *Ritual Conjunto de los sacramentos*. Copyright © Departamento de Liturgia del CELAM. 1976.

"We Celebrate with Joy," © 2000, Carey Landry. Published by OCP Publications, 5536 NE Hassalo, Portland, OR 97213. All rights reserved. Used with permission. "The Good Shepherd," text and music © 1994, Paule Freeburg, DC and Christopher Walker. Published by OCP Publications. All rights reserved. Used with permission. "Children of God," © 1991, Christopher Walker. Published by OCP Publications. All rights reserved. Used with permission. "Jesus Wants to Help Us," music and text © 1999, Christopher Walker and Paule Freeburg, DC. Published by OCP Publications. All rights reserved. Used with permission. "We Come to Ask Forgiveness," © 1986, Carey Landry and North American Liturgy Resources. All rights reserved. "God Has Made Us a Family," © 1986, Carey Landry and North American Liturgy Resources (NALR), 5536 NE Hassalo, Portland, OR 97213. All rights reserved. Used with permission. "Plegaria Eucarística II" y "Lo siento, Perdón", © San Pablo. "El Buen Pastor", © 1994, 1997, OCP Publications. "La Alegría en el Perdón", © 1982, OCP Publications. "El Señor es bueno," © OCP Publications. "Nosotros somos tu pueblo/We Are God's People," © OCP Publications.

Printed on acid-free paper

𝕊 es marca registrada de William H. Sadlier, Inc.

William H. Sadlier, Inc.
9 Pine Street
New York, NY 10005-1002

ISBN: 978-0-8215-5730-3
123456789/10 09 08 07 06

Nihil Obstat

✠ Most Reverend Robert C. Morlino

Imprimatur

✠ Most Reverend Robert C. Morlino
Bishop of Madison
September 4, 2006

The *Nihil Obstat* and *Imprimatur* are official declarations that a book or pamphlet is free of doctrinal or moral error. No implication is contained therein that those who have granted the *Nihil Obstat* and *Imprimatur* agree with the contents, opinions, or statements expressed.

Photo Credits

Cover Title Page: Neal Farris.
Interior: Jane Bernard: 25, 35, 36, 37, 64, 66, 67, 68, 80, 81, 82, 83, 84, 85, 86 *top*, 87 *bottom*, 109, 113, 119 *top & center*, 120 *top & center*, 123, 124, 125, 126. Karen Callaway: 34, 108. Crosiers/ Gene Plaisted, OSC: 32, 116 *bottom*, 119 *bottom*, 120 *bottom*. Neal Farris: 7, 16, 17, 18, 19, 20, 21, 24, 40, 41, 51, 56, 57, 72, 73, 86 *bottom*, 88, 89, 96, 100, 101, 105, 110, 111, 114, 115, 117, 118, 121 *center*, 122 *center*, 127, 128.

Getty Images/ Brand X Pictures: 52, 111; Digital Vision: 49, Ivano Confalone: 58–59, Peter Haigh: 90–91; DAJ: 74–75; Photodisc Green: 50, 121 *top*, 122 *top*; Photodisc Red: 48, 121 *bottom*, 122 *bottom*.

Ken Karp: 6, 104. Masterfile/ Kevin Dodge: 42; Ariel Skelley: 90. Punchstock/ Creatas: 87 *top*, Design Pics: 42–43. Shutterstock/ Paul Butchard: 10–11; Andres Rodriguez: 26–27. Superstock/ Kwame Zikomo: 10. Veer/ Stockbyte: 26, 87 *bottom right*; Image Source: 58. Rubberball: 74. W. P. Wittman Limited: 69.

Illustrator Credits

Dan Andreason: 76. Tom Barrett: 96–97. Sara Beise: 71 *bottom*. Mary Bono: 24, 54 *right*, 70 *top*, 71, 77, 93 *top*, 104–105. Mircea Catusanu: 29 *center*, 38, 39, 98, 99, 115, 116. Mark Graham: 12. Layne Johnson: 44. W. B. Johnston: 6, 7, 11, 16, 18, 19, 33 *top*, 34, 48, 49, 50, 51, 52, 53, 55 *bottom*, 64, 65, 66, 81, 82, 106, 107, 110, 111. Dave Jonason: 60, 72, 73, 93 *bottom*. Kathleen Kemley: 92. Daryl Ligason: 28. Dean MacAdam: 54 *left*, 55 *top*, 77 *bottom*, 93 *center*. Diana Magnuson: 14–15, 30–31, 46–47, 62–63, 78–79, 94–95, 112, 117, 118, 119, 120, 121, 122, 123, 124, 125, 126, 127, 128. Judith Moffatt: 33. Gary Phillips: 8–9. Mike Reed: 61. Jackie Snider: 29 *top*, 40, 41, 102, 103.

El programa de Sadlier, *Creemos y celebramos* fue desarrollado por la comunidad de fe por medios de sus representantes con experiencia en liturgia, teología, Escritura, catequesis y desarrollo de la fe en los niños. Este programa lleva a una experiencia más profunda de Jesús en la comunidad y ha sido extraído de la sabiduría de la comunidad.

Consultores en catequesis y liturgia

Dr. Gerard F. Baumbach
Director, Center for Catechetical Initiatives
Profesor de teología
University of Notre Dame

Sr. Janet Baxendale, SC
Profesor adjunto de teología
St. Joseph Seminary, Dunwoodie, NY

Carole M. Eipers, D.Min.
Vice presidenta y directora ejecutiva
 en catequesis
William H. Sadlier, Inc.

Rev. Ronald J. Lewinski, S.T.L.
St. Mary of the Annunciation
Mundelein, IL

Rev. Msgr. James P. Moroney
Director ejecutivo del secretariado
 para la liturgia de la USCCB

Consultores en currículo y desarrollo del niño

Patricia Andrews
Directora de educación religiosa
Our Lady of Lourdes
Slidell, LA

William Bischoff
Ministerios catequéticos
Mission San Luis Rey Parish
Oceanside, CA

Diana Carpenter
Directora formación en la fe
St. Elizabeth Ann Seton Parish
San Antonio, TX

Consultores en teología

Most Reverend Edward K. Braxton,
 Ph.D., S.T.D.
Teólogo oficial
Bishop of Belleville

Monsignor John Arnold
Vicario general
Arquidiócesis de Westminster

Consultores en medios y tecnología

Sister Jane Keegan, RDC
Editora de Internet
William H. Sadlier, Inc.

Consultores en catequesis bilingüe

Vilma Angulo
Directora de educación religiosa
All Saints Catholic Church
Sunrise, FL

Sr. Lois Knipp, OSF
Directora de educación religiosa
Holy Rosary Catholic Church
Minneapolis, MN

Miguel Mejía, Jr.
Director de ministerio
St. Gerard Catholic High School
San Antonio, TX

Padre Terrence Moran, C.SS.R.
Shrine of St. Joseph
Stirling, NJ

Dra. Ana María Pineda, RSM
Profesor asociado
Santa Clara University
Santa Clara, CA

Equipo de escritores y editores

Rosemary K. Calicchio
Vice presidenta de publicaciones

Melissa Gibbons
Directora de producción

Blake Bergen
Director editorial

MaryAnn Trevaskiss
Supervisora de edición

Maureen Gallo
Editora

Alberto Batista Reyes
Editor

Mary Ellen Kelly
Editora

Traducción y adaptación

Dulce M. Jiménez Abreu
Directora de programas en español
William H. Sadlier, Inc.

Equipo consultor de Sadlier

Roy Arroyo
Michaela Burke
Judith Devine
Ken Doran
Kathleen Hendricks
William M. Ippolito
Saundra Kennedy, Ed.D.
Kathleen Krane
Suzan Larroquette

Equipo de edición y operaciones

Deborah J. Jones
Vice presidenta de operaciones editoriales

Vince Gallo
Director creativo

Francesca O'Malley
Art director asociado

Jim Saylor
Administrador fotográfio

Jovito Pagkalinawan
Administrador electrónico prepress

Equipo de diseño

Andrea Brown
Sasha Khorovsky
Dmitry Kushnirsky
Maria Pia Marella

Equipo de producción

Barbara Brown
Robin D'Amato
Douglas Labidee
Vinny McDonough
Maureen Morgan
Gavin Smith
Sommer Zakrzewski

INDICE

CONTENTS

En nuestra iglesia hay diferentes lugares en los que podemos ir a confesar.

In our church there are different places where we might go to confession.

Bienvenida

Creemos y celebramos: Primera Reconciliación es tu libro. Lo usarás para prepararte para tu primera Reconciliación. Muchas personas te guiarán mientras aprendes sobre esta celebración especial en tu vida. Guarda este libro durante toda tu vida.

En cada capítulo encontrarás:

✦ Compartimos la palabra de Dios

Celebrarás a las personas y las cosas en tu vida.

✦ Creemos y celebramos

Aprenderás y te prepararás para celebrar el sacramento de la Penitencia.

✦ Respondemos en oración

Junto a tu familia y amigos recordarás y celebrarás tu fe. Celebrarás tu amor por Dios con palabras y cantos.

Vamos a empezar

Welcome!

We Believe & Celebrate First Penance is your book. You will use it to prepare for First Penance. Many people will guide you as you learn about this special celebration in your life. So make this book one that you can keep forever.

As you go through each chapter you will:

✦ Gather and Share God's Word

You celebrate the people and things in your life. You read and listen to a story from the Bible.

✦ Believe and Celebrate

You learn about and prepare to receive the Sacrament of Penance.

✦ Respond and Pray

With your family and friends you remember and celebrate what you believe. You celebrate your love for God in words and song.

Let's get Started!

Seguimos a Jesús

"Este es mi mandamiento,
que se amen unos a otros".

Juan 15:17

"This I command you:
love one another."

John 15:17

We Are Followers of Jesus

Daniel fue a visitar a su abuela Lidia después de clase. Abuela Lidia le pidió hacer su tarea antes de jugar videos. Daniel preguntó: "¿Por qué?" La abuela le contestó: "Porque te quiero mucho".

Antes de la comida la abuela le recordó a Daniel lavarse las manos. De nuevo Daniel preguntó: "¿Por qué?" La abuela le contestó lo mismo: "Porque te quiero mucho".

A las 9:00 p.m. la abuela le dijo a Daniel: "Es hora de ir a dormir". Cuando Daniel preguntó: "¿Por qué?" Ella contestó lo mismo: "Porque te quiero mucho".

Daniel sonrió y le preguntó: "¿Abuela, por qué siempre dices porque te quiero mucho?"

La abuela contestó: "Bueno, quiero que hagas tus tareas para que te vaya bien en la escuela. Te pido que te laves las manos porque no quiero que comas con las manos llenas de gérmenes, así es como la gente se enferma.

Si te vas a la cama ahora no estarás cansado mañana en la mañana. Si te pido hacer todas estas cosas es porque me preocupo por ti. Quiero que estés sano y feliz".

Daniel miró a la abuela y dijo:

"_____".

(escribe tu respuesta)

Esta es una persona que me cuida y me protege.

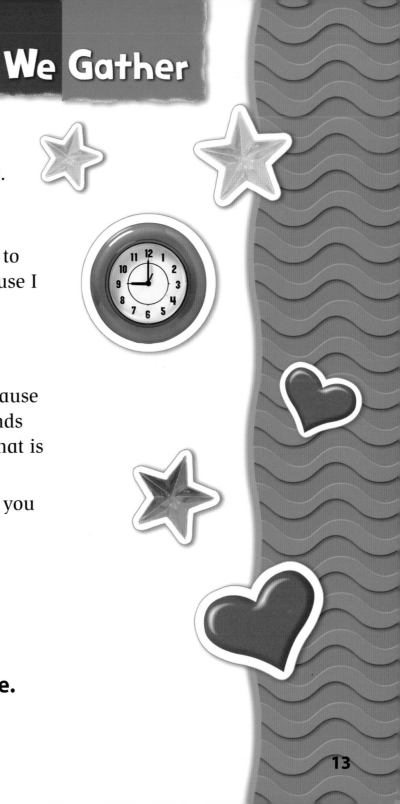

Dan went to his Grandma Lynn's house after school. Grandma Lynn asked Dan to do his homework before he played video games. Dan asked, "Why?" Grandma answered, "Because I love you."

Just before dinner Grandma reminded Dan to wash his hands. Again Dan asked, "Why?" Grandma gave the same answer, "Because I love you."

At 9:00 p.m. Grandma said, "Dan, now it's time for you to go to sleep." When Dan asked Grandma why, she answered, "Because I love you."

Then Dan smiled and asked, "Grandma, why do you keep saying everything is because you love me?"

Grandma said, "Well, I wanted you to do your homework because I want you to do well in school. I asked you to wash your hands because I don't want you to eat with germs on your hands. That is how people get sick."

"If you go to sleep now, you won't be tired for school. I asked you to do all these things because I care about you. I want you to be safe and happy."

Dan looked at Grandma Lynn and said,

" _____ ."

(fill in your answer)

Here is someone who cares about and protects me.

13

Narrador: Creemos en la Santísima Trinidad, tres personas en un solo Dios: Dios Padre, Dios Hijo y Dios Espíritu Santo. Jesús es el Hijo de Dios. El nos enseñó que Dios el Padre nos ama y protege al darnos sus leyes. Jesús nos enseñó que el Espíritu Santo nos ayuda a cumplir las leyes de Dios.

Las leyes de Dios son llamadas mandamientos. Jesús nos enseñó que cumplir los mandamientos nos muestra como amar a Dios, a nosotros mismos y a los demás.

 Mateo 22:35-39

Lector: Jesús fue de pueblo en pueblo enseñando a la gente sobre el amor de Dios. Un día alguien le preguntó cuál era el mayor de los mandamientos. Jesús le dijo: "Amarás al Señor tu Dios con todo tu corazón, con toda tu alma y con toda tu mente". Y añadió: "Amarás a tu prójimo como a ti mismo".
(Mateo 22:37, 39)

Llamamos a esta enseñanza de Jesús el Gran Mandamiento.

We Share God's Word

Narrator: We believe in the Blessed Trinity, three Persons in one God: God the Father, God the Son, God the Holy Spirit. Jesus is God the Son. He taught that God the Father loves us and protects us by giving us laws. Jesus taught us that the Holy Spirit would help us to follow God's laws.

God's laws are called commandments. Jesus taught us that by following the commandments we show our love for God, ourselves, and others.

 Matthew 22:35–39

Reader: Jesus went from town to town to tell people about God's love. One day someone asked Jesus which commandment is the greatest.
Jesus said, "You shall love the Lord, your God, with all your heart, with all your soul, and with all your mind." Then he said, "You shall love your neighbor as yourself." (Matthew 22:37, 39)

We call this teaching of Jesus the Great Commandment.

Dios dio leyes especiales a su pueblo porque él lo amaba. El quería que su pueblo estuviera seguro y feliz. Las leyes de Dios son los **Diez Mandamientos**. Estos se encuentran en la página 106.

Cuando Jesús era pequeño aprendió los Diez Mandamientos. El cumplió esas leyes durante su vida en la tierra. El mostró como cumplir esas leyes. El nos enseñó como amar a Dios, a nosotros mismos y a los demás.

Estas son algunas formas en que podemos mostrar amor a Dios cumpliendo los mandamientos 1–3.

✦ Creemos que hay un solo Dios.

✦ Decimos el nombre de Dios con amor y respeto.

✦ Nos unimos a nuestra parroquia todas las semanas para celebrar la misa el domingo o el sábado en la tarde. Tomamos tiempo para descansar, divertirnos con nuestra familia y amigos.

God gave special laws to his people because he loved them. He wanted his people to be safe and happy. God's laws are the **Ten Commandments**. They are listed on page 107.

When Jesus was growing up, he learned the Ten Commandments. He lived by these laws all during his life on earth. He showed us how to follow these laws. He taught us how to love God, ourselves, and others.

Here are ways we can show our love for God by following commandments 1–3.

✦ We believe that there is only one God.

✦ We speak God's name only with love and respect.

✦ We join our parish each week for Mass on Sunday or Saturday evening. We take time to rest and enjoy our family and friends.

Estas son otras formas en que podemos mostrar amor por nosotros mismos cumpliendo los mandamientos 4–10.

✦ Escuchamos y obedecemos a nuestros padres y a todas las personas que nos cuidan.

✦ Respetamos la vida humana. No peleamos ni maltratamos a los demás.

✦ Respetamos nuestro cuerpo y el cuerpo de los demás.

✦ Cuidamos las cosas que tenemos. No robamos las pertenencias de los demás.

✦ Decimos la verdad.

✦ Mostramos que estamos agradecidos de nuestra familia y amigos.

✦ Mostramos que estamos agradecidos de lo que tenemos. Compartimos lo que tenemos con los demás.

Recuerda que la enseñanza de Jesús sobre amar a Dios, a nosotros mismos y a los demás es llamada el **Gran Mandamiento**. Cuando cumplimos con el Gran Mandamiento estamos cumpliendo los mandamientos de Dios. Vivimos como hijos de Dios.

Here are ways we can show love for ourselves and others by following commandments 4–10.

✦ We listen to and obey our parents and all those who care for us.

✦ We respect all human life. We do not fight or hurt anyone.

✦ We respect our own bodies and the bodies of others.

✦ We take care of what we have. We do not steal what other people have.

✦ We tell the truth.

✦ We show that we are thankful for our family and friends.

✦ We show that we are thankful for what we have. We share what we have with others.

Remember that Jesus' teaching about loving God, ourselves, and others is called the **Great Commandment**. When we follow the Great Commandment, we follow all of God's commandments. We live as God's children.

19

Creemos y celebramos

Jesús nos enseñó a mostrar amor a Dios, a nosotros mismos y a los demás. Dios quiere que escojamos obedecer sus leyes como Jesús nos enseñó. Dios nunca nos obliga a obedecer sus mandamientos. Dios nos da el don del **libre albedrío**. Este don nos permite tomar decisiones.

Dios nos deja hacer uso de nuestro libre albedrío para cumplir o no sus leyes. Dios nos permite escoger amarlo y respetarlo, respetarnos y respetar a los demás.

Dios también nos dio un don que nos ayuda a tomar decisiones correctas. Dios nos ha dado una conciencia. Nuestra **conciencia** nos ayuda a saber lo que está bien y lo que está mal, que hacer y que no hacer. Nuestra conciencia nos ayuda a obedecer las leyes de Dios.

Algunas veces las personas escogen alejarse del amor de Dios. Deciden no cumplir con las leyes de Dios. Cuando esto sucede rompen su relación con Dios.

Pero es importante recordar que Dios siempre nos ama. Dios siempre está dispuesto a perdonarnos si estamos arrepentidos. Dios siempre nos da la gracia para cumplir su voluntad. Y podemos siempre rezar y pedir a Dios el Espíritu Santo que nos ayude a tomar decisiones correctas.

Tomando decisiones

Todos los días tomamos decisiones. Algunas veces tenemos que escoger entre obedecer o no uno de los mandamientos. Antes de tomar una decisión debemos pensar. Debemos hacernos estas preguntas antes de tomar una decisión:

- Si hago esto, ¿mostraré que amo a Dios, a mí mismo y a los demás?
- ¿Qué quiere Jesús que haga?

Hay cosas que nunca debemos escoger porque siempre están mal. Nunca debemos escoger las cosas malas aun si pensamos que algo bueno puede salir de ellas.

Jesus taught us to show love for God, ourselves, and others. God wants us to choose to obey his laws as Jesus taught us to do. Yet God never forces us to obey his commandments. God gives us the gift of **free will**. This gift allows us to make choices.

God lets us use our free will to follow his laws or not to follow his laws. God allows us to choose to love and respect him, ourselves, and others.

God has also given us a gift to help us make the right choices. God has given us a conscience. Our **conscience** helps us to know what is right and what is wrong, what to do and what not to do. Our conscience helps us to obey God's commandments.

Sometimes people choose to turn away from God's love. They decide not to follow God's law. When they do this they hurt their friendship with God.

But it is important to remember that God always loves us. God is always ready to forgive us if we are sorry. God always gives us the grace to do what he commands. And we can always pray to God the Holy Spirit to help us make the right choices.

Making Choices

Every day we make choices. Sometimes we have a choice between obeying or not obeying one of the commandments. Before we make a choice, we should stop and think. We should ask ourselves these questions before we choose:

- If I do this, will I show love for God, myself, or others?
- What would Jesus want me to do?

There are some things that we must never choose because they are always wrong, or evil. We must never choose these things even if we think good might come from them.

21

Respondemos

Usa estas páginas para mostrar:

① como mostrar amor a Dios junto a tu comunidad

② como tu familia muestra amor y respeto

③ como tu familia muestra amor y respeto por los vecinos.

Use these pages to show:

1. ways to show love for God with your community
2. ways your family can show love and respect
3. ways your family can show love and respect for your neighbors.

Respondemos en oración

✝ **Líder:** Señor Dios, nos reunimos para celebrar tu amor por nosotros. Gracias por darnos tus leyes. Te pedimos nos ayudes a seguirlas siempre y en todos los lugares.

Todos: "La tierra está llena de tu amor, Señor, enséñame tus normas". (Salmo 119:64)

Líder: Señor Dios, en la Biblia leemos sobre los mandamientos. Aprendemos las enseñanzas de Jesús sobre como mostrar amor por ti, por nosotros mismos y los demás. Aprendemos que el Espíritu Santo está con nosotros para ayudarnos a tomar buenas decisiones.

Todos: "La tierra está llena de tu amor, Señor, enséñame tus normas". (Salmo 119:64)

Líder: Vamos juntos a cantar sobre el amor de Dios.

🎵 **Gloria a ti, Señor**

Gloria a ti, Señor,
gloria porque nos amas.
Gloria a ti, Señor,
gloria porque nos amas.

✝ **Leader:** Lord God, we gather together to celebrate your love for us. We thank you for giving us your laws. We ask you to help us follow these laws at all times and in all places.

All: "The earth, LORD, is filled with
 your love;
  teach me your laws." (Psalm 119:64)

Leader: Lord God, in the Bible we read about your commandments. We learn the teachings of Jesus about showing our love for you, ourselves, and others. We learn that the Holy Spirit is with us to help us make good choices.

All: "The earth, LORD, is filled with
 your love;
  teach me your laws." (Psalm 119:64)

Leader: Let us sing together about God's love.

♫ We Celebrate with Joy

Chorus
We celebrate with joy and gladness!
We celebrate God's love for us!
We celebrate with joy and gladness:
God with us today!
God with us today!

God surrounding us;
God surprising us;
God in everything we do!
God surrounding us;
God surprising us;
God in all we do!
(Chorus)

Recordamos el amor y el perdón de Dios

"El Señor es mi pastor".

Salmo 23:1

"The LORD is my shepherd."

Psalm 23:1

We Remember God's Love and Forgiveness

La semana pasada, Marta Cruz, su papá y su hermano Carlos fueron a un festival en Parktown. En el camino el Sr. Cruz les dijo: "Va a haber mucha gente en el festival. Quiero que se mantengan cerca de mí todo el tiempo".

Se detuvieron en un estanquillo de manualidades. El Sr. Cruz y Carlos querían verlo todo. Marta pensó: "Esto es muy aburrido, me gustaría hacer otra cosa". Marta alcanzó a ver a su amiga Jenny en el tiovivo y le dijo adiós. El tiovivo se paró cerca de Marta y ella aprovechó para subir y sentarse al lado de Jenny.

Cuando el Sr. Cruz se dio cuenta de que Marta no estaba a su lado se preocupó. Preguntó a Carlos: "¿Dónde está Marta?" Miraron alrededor y la vieron en el tiovivo. El conductor estaba a punto de iniciar la ruta. El Sr. Cruz dijo: "Carlos, creo que podemos alcanzar el tiovivo".

Ambos corrieron. Llegaron justo a tiempo. El Sr. Cruz pidió a Marta bajar. El padre le dijo: "Marta, ¿en qué estabas pensando? Carlos y yo estábamos preocupados cuando no te vimos. Te queremos mucho y no queremos que te separes de nosotros". Marta estaba feliz de estar de nuevo con su familia.

Estas son algunas cosas que a mi familia le gusta hacer.

_____

_____

(escribe tu respuesta)

Last week Marta Cruz, her dad, and her brother Carlos went to Parktown's Family Festival. On their way there, Mr. Cruz said, "The festival is going to be very crowded. I want you to stay close to me at all times."

First the family stopped at the craft stands. Both Mr. Cruz and Carlos wanted to take time to look at everything. Marta thought, "This is so boring. I want to do something else." Marta saw her friend, Jenny, on the festival shuttle. Marta waved. The shuttle stopped close to where Marta was standing. She hopped on and sat next to Jenny.

When Mr. Cruz noticed that Marta was not beside him, he was worried. He asked Carlos, "Where is Marta?" They looked up and saw Marta on the shuttle. The driver was just pulling away. Mr. Cruz said, "Hurry, Carlos! I think we can catch the shuttle."

Carlos and his dad ran. They reached the shuttle just as it stopped near the amusement rides. Mr. Cruz told Marta to get off the shuttle. He said, "Marta, what were you thinking? Carlos and I were really upset when we thought we lost you. We love you and we don't want to get separated from you again!" Marta was happy to be with her family again.

Here is one thing my family likes to do together.

_____

_____

(fill in your answer)

Compartimos la palabra de Dios

Algunas veces Jesús contó historias para enseñar a la gente sobre el amor de Dios. En sus historias, Jesús habló sobre cosas que sus seguidores conocían. Ellos sabían de pastores y sus rebaños de ovejas. Así que un día Jesús le contó la siguiente historia:

 Lucas 15:4–6

Lector 1: Había una vez un pastor que cuidaba de un rebaño de cien ovejas. Un día una de ellas se extravió.

Lector 2: Cuando el pastor se dio cuenta de que una de sus ovejas se había perdido, dejó a las noventa y nueve. El fue a buscar la que se había perdido.

Lector 3: El pastor se puso muy contento cuando encontró a la oveja perdida. El la puso en sus hombros y la llevó al corral.

Lector 4: Cuando el pastor llegó a la casa llamó a sus amigos y vecinos. El les dijo: "Regocíjense conmigo porque encontré a la oveja que se me había perdido". (Lucas 15:6)

Jesús contó esta historia para ayudar a sus seguidores a entender el amor y el perdón de Dios. El quiere que sepamos que cada uno de nosotros es especial para Dios.

We Share God's Word

Jesus told stories to teach people about God's love. He talked about things his followers knew about. One day Jesus told this story.

 Luke 15:4–6

Reader 1: There was a shepherd who took care of a flock of one hundred sheep. One day one of the sheep wandered away from the flock.

Reader 2: When the shepherd found out the sheep was missing, he left the other ninety-nine sheep. He searched and searched until he found the lost sheep.

Reader 3: The shepherd was very happy that he found the lost sheep. He put the sheep on his shoulders and carried it home.

Reader 4: When the shepherd reached home, he called together his friends and neighbors. He said, "Rejoice with me because I have found my lost sheep." (Luke 15:6)

Jesus told this story to help his followers to understand God's love and forgiveness. He wanted us to know that every one of us is special to God.

Dios nos ama mucho. El quiere que estemos lo más cerca posible de él. Pero esto no es siempre fácil.

Los primeros humanos hicieron algo que sabían era malo. Ellos pecaron y perdieron la gracia de Dios. El primer pecado es llamado pecado original. Después de ahí, toda persona nace con el **pecado original**. Debido al pecado original el sufrimiento y la muerte entraron al mundo. También, algunas veces encontramos difícil hacer la voluntad de Dios.

Algunas veces no mostramos nuestro amor por Dios, por nosotros mismos y por los demás. Escogemos no obedecer los mandamientos de Dios. Pecamos. **Pecado** es cualquier palabra o acción que libremente decidimos hacer aun cuando sabemos es malo.

Cuando pecamos nos alejamos de Dios y de los demás. Pero Jesús nos dirige mostrándonos formas de regresar a Dios.

Jesús dijo: "Yo soy el buen pastor". (Juan 10:14) Jesús, nuestro buen pastor, nos lleva a reconciliarnos con Dios y con los demás. La palabra *reconciliación* significa "contentarse".

God loves each of us very much. He wants us to stay as close to him as possible. But this is not always easy to do.

The first humans did something they knew was wrong. They sinned and lost their share in God's life. That first sin is called **original sin.** And ever since then, all people are born with original sin. Because of original sin, suffering and death came into the world. Also, people sometimes find it difficult to do what God wants.

Sometimes we do not show our love for God, ourselves, and others. We choose not to obey God's commandments. We sin. **Sin** is any thought, word, or act that we freely choose to commit even though we know that it is wrong.

When we sin we turn away from God and one another. But Jesus leads us by showing us ways to come back together again.

Jesus said, "I am the good shepherd." (John 10:14) Jesus, our Good Shepherd, leads us to reconciliation with God and others. The word *reconciliation* comes from a word that means "coming back together again."

33

Creemos y celebramos

Jesús nos dio formas de recibir el perdón de Dios. Una forma de celebrar el perdón de Dios es por medio del sacramento del Bautismo. Somos sumergidos en agua, o el agua es derramada sobre nuestra cabeza. Compartimos la vida de Dios. La vida de Dios en nosotros es la **gracia**.

En el Bautismo el pecado original y todos los pecados son perdonados. Por medio del agua del Bautismo nos hacemos hijos de Dios y miembros de la Iglesia.

Después de bautizados, hay muchas veces en nuestras vidas en que necesitamos pedir perdón a Dios. Podemos hacer esto en el sacramento de la Penitencia y Reconciliación. En este sacramento, al que llamamos sacramento de la Penitencia, pedimos y recibimos el perdón de Dios de nuestros pecados.

Jesus gives us ways to receive God's forgiveness. The first way we receive and celebrate God's forgiveness is in the Sacrament of Baptism. We are either placed in water, or water is poured over us. We receive a share in God's life. God's life in us is **grace**.

In Baptism original sin and all other sins are taken away. Through the waters of Baptism, we become children of God and members of the Church.

After we are baptized, there are many times in our lives when we need to ask God to forgive us. We can do this in the Sacrament of Penance and Reconciliation. In this sacrament, which we can call the Sacrament of Penance, we ask God for and receive his forgiveness of our sins.

35

Algunos pecados son más serios que otros. Estos son llamados mortales. Para cometer un pecado mortal la persona debe saber que es verdaderamente malo, y escoge libremente pecar. El que comete un pecado mortal rompe su amistad con Dios, y no comparte su gracia. Los que cometen pecados mortales deben recibir el perdón de Dios en el sacramento de la Penitencia.

Pecado venial es un pecado menos serio que el mortal. El pecado venial daña nuestra relación con Dios, pero seguimos compartiendo su gracia.

Cualquier pecado que cometamos daña nuestra relación con Dios y con los demás. Así que debemos pedir perdón a Dios por todos los pecados en el sacramento de la Penitencia.

Cuando celebramos

Celebramos el sacramento del perdón, también llamado:

- Sacramento de Conversión
- Sacramento de la Penitencia
- Sacramento de la Confesión
- Sacramento de la Reconciliación

Un niño que es bautizado cuando pequeño, debe celebrar el sacramento de la Penitencia por primera vez antes de su primera comunión.

Some sins are more serious than others. These are called mortal sins. To commit a mortal sin, a person knows it is very seriously wrong and freely chooses to commit it anyway. People who commit mortal sin break their friendship with God. They no longer share in God's grace. People who commit mortal sins must receive God's forgiveness in the Sacrament of Penance.

Venial sin is less serious than mortal sin. People who commit venial sin hurt their friendship with God. But they still share in God's grace.

Yet any sin which we commit hurts our friendship with God and others. So we should ask for God's forgiveness for all of our sins in the Sacrament of Penance.

When We Celebrate

We celebrate the sacrament of forgiveness. It is also called the:

- sacrament of conversion
- Sacrament of Penance
- sacrament of confession
- Sacrament of Reconciliation.

Children who are baptized as infants must celebrate the Sacrament of Penance for the first time before their First Holy Communion.

Respondemos

Jesús quiere que compartamos historias de amor y perdón. Usa estas páginas para mostrar:

1. una historia que te gustaría compartir
2. como tu familia reza a Jesús, el Buen Pastor
3. la oración de tu familia.

Jesus wants you to share his stories about God's love and forgiveness. Use these pages to show:

1 one story that you can share

2 how your family prays to Jesus, our Good Shepherd

3 your family's prayer.

Respondemos en oración

✝ **Líder:** Jesús, por medio de los sacramentos del Bautismo y la Penitencia, compartimos el amor de Dios y recibimos y celebramos su perdón. Gracias por estos sacramentos.

Todos: Jesús, gracias por compartir el amor y el perdón de Dios.

Líder: Jesús, nos dijiste que eres nuestro Buen Pastor. Creemos que no quieres que nos separemos de ti.

Todos: Jesús, eres nuestro Buen Pastor. Somos ovejas de tu rebaño.

Líder: Cantemos a Jesús, nuestro Buen Pastor.

♫ Buen Pastor

Como ovejitas tenemos un Buen Pastor,
el Buen Pastor es Jesús;
nos da su amor nos da su amor.
Sabe nuestros nombres (X2)

Vamos hacia él siempre corriendo
y siempre corriendo y siempre
corriendo hasta él iremos.

✝ **Leader:** Jesus, through the Sacraments of Baptism and Penance, we share in God's love, and we receive and celebrate God's forgiveness. Thank you for these sacraments.

All: Jesus, we thank you for sharing God's love and forgiveness.

Leader: Jesus, you told us that you are our Good Shepherd. We believe that you never want us to be separated from you.

All: Jesus, you are our Good Shepherd. We are the sheep of your flock.

Leader: Let us now sing to Jesus, our Good Shepherd.

🎵 The Good Shepherd

Jesus is the Good Shepherd,
    he knows his sheep and he loves them.
Jesus is the Good Shepherd;
    he loves us all, he loves us all.

Jesus calls our name:
(Sing your name two times.)
    and we come to him
    running and running and
        running and running
    and running and running
        because we love him.

41

Nos preparamos para recibir el perdón de Dios

"Hermanos, que Dios abra vuestro corazón a su palabra".

Rito de la Penitencia

"May God open your
hearts to his law."

Rite of Penance

We Prepare to Receive
God's Forgiveness

Nos congregamos

El sábado pasado en la mañana, Lisa se estaba preparando para ir a la biblioteca. Andrés le preguntó: "¿Dónde vas? ¿Puedo ir contigo?" Lisa le respondió: "No hoy. Voy a trabajar con Kelly en un proyecto sobre la naturaleza. Es sobre caracoles. Si a nuestro líder le gusta el proyecto ganaremos un escudo de la naturaleza".

Andrés se enojó con Lisa. Fue a su cuarto y vio su caracol favorito y pensó: "Lisa probablemente quiera usarlo en su proyecto. Lo voy a esconder en mi cuarto y así no podrá usarlo".

A la hora de la comida, Lisa estaba muy entusiasmada porque había encontrado cinco libros sobre caracoles. Lisa le dijo a Andrés que ella le iba a mostrar los libros después de la cena. Le explicó: "Voy a usar los caracoles de mi colección para el proyecto. Espera a que el líder vea mi caracol favorito. De seguro que el escudo es mío".

Andrés se sintió mal. Pensó: "Fui egoísta. Lisa realmente quiere esa mochila. No debí haber tomado su caracol".

Así que después de la cena Andrés fue a busca el caracol. Se lo pasó a Lisa diciendo:

"_____."

Estas son formas en que puedo decir "lo siento".

"_____."

(escribe tu respuesta)

Last Saturday morning Lisa was getting ready to go to the library. Andrew asked, "Where are you going, Lisa? Can I go, too?"

Lisa answered, "Not today. Kelly and I are going to work on our project for nature scouts. It's about seashells. If our group leader likes our project, Kelly and I will get our nature badges."

Andrew was angry when Lisa left without him. He went into her room and found her favorite seashell. Andrew thought, "Lisa probably wanted to use this shell for her project. Well, she won't be able to use it now. I'm going to hide it in my room."

At dinner that night, Lisa was excited because she had found five books about seashells. Lisa told Andrew that she would show him the books after dinner. She explained, "I'm going to use shells from my collection for the project. Just wait until my group leader sees my favorite shell. Nature badge, you are mine!"

Andrew felt awful. He thought, "I was being selfish this afternoon. Lisa really wants to get that nature badge. I shouldn't have taken her shell."

So after dinner Andrew went and got the shell. He handed it to Lisa. He said,

"_____."

Here are ways I can say "I'm sorry."

"_____."

(fill in your answer)

Compartimos la palabra de Dios

Jesús contó esta historia para ayudarnos a entender el amor y el perdón de Dios.

 Lucas 15:11–24

Había una vez un buen hombre que tenía dos hijos. Un día el más joven le pidió la parte de su herencia. El padre se la dio. Entonces el hijo se fue de la casa.

El joven rápidamente gastó todo el dinero en fiestas y amigos. Cuando el dinero se acabó, sus amigos lo dejaron. El no tenía donde vivir y no tenía dinero para comprar ropa y comida.

El hijo pensó en las decisiones egoístas que había tomado. Recordó el amor de su padre. Decidió volver a su casa y pedir perdón a su padre.

Cuando estaba muy cerca de su casa, su padre lo vio venir. El padre corrió a abrazarlo. El joven le dijo: "Padre, pequé contra el cielo y contra ti; ya no merezco llamarme hijo tuyo". (Lucas 15:21)

El padre se puso muy contento de verlo. El amaba a su hijo y lo perdonó. Después el padre reunió a la familia y le dio la bienvenida con una celebración.

Jesus told this story to help us to understand God's love and forgiveness.

 Luke 15:11–24

There was a loving father who had two sons. One day the younger son asked for his share of the family's money. The father gave it to him. The son left home. He spent all his money with his friends. When it was gone, his friends left him. He had no place to live and no money to buy clothes or food.

The son thought about his selfish choices. He remembered his father's love. He decided to go home and ask his father for forgiveness.

When the young man was almost home, his father saw him on the road. The father ran out to welcome his son. The young man said, "Father, I have sinned . . . I no longer deserve to be called your son." (Luke 15:21)

The father was very happy to see his son. The father loved and forgave his son. He gathered the family for a celebration.

En la historia de Jesús sobre el padre y el hijo, el hijo no estaba feliz ni tenía paz. Después de gastar todo su dinero, él pensó en las decisiones que había tomado. El sabía que muchas de ellas eran egoístas.

También nosotros podemos pensar en las veces en que nuestras decisiones no han mostrado amor a Dios, a nosotros mismos y a los demás. Esto es un **examen de conciencia**.

Cuando nos preparamos para el sacramento de la Penitencia hacemos un examen de conciencia.

Hacemos lo siguiente al examinar nuestra conciencia:

- ✦ Pedimos al Espíritu Santo nos ayude a recordar las decisiones que hemos tomado.

- ✦ Pensamos en las formas en que hemos cumplido o no los Diez Mandamientos.

- ✦ Nos hacemos preguntas para que nos ayuden a recordar lo que hemos hecho.

- ✦ Nos preguntamos si hemos dejado de hacer algo bueno por los demás.

In Jesus' story about the father and son, the son was not happy or peaceful. After he spent all his money, he thought about the choices he had made. He knew that many of his choices were selfish.

We, too, should think about whether or not our choices show love for God, ourselves, and others. When we do this we make an **examination of conscience**.

As we prepare to celebrate the Sacrament of Penance, we make an examination of conscience. When we make an examination of conscience, we do the following things.

✦ We ask the Holy Spirit to help us remember the choices we have made.

✦ We think about the ways we have or have not followed the Ten Commandments.

✦ We ask ourselves questions to help us remember what we have thought, said, or done.

✦ We ask ourselves if there were times we could have done good for others but did not.

Estas son otras preguntas que puedes hacerte cuando examinas tu conciencia:

En relación con Dios

✦ ¿He tomado tiempo para rezar?

✦ ¿He dicho el nombre de Dios con respeto?

En relación conmigo

✦ ¿He cuidado de mi cuerpo?

✦ ¿He dado gracias a Dios por los dones que me ha dado?

En relación con los demás

✦ ¿He obedecido a mis padres y a los que me cuidan?

✦ ¿He ofendido a otros con lo que he dicho o hecho?

✦ ¿He ayudado a los demás?

Here are some questions you can ask when you examine your conscience.

Respect for God

✦ Did I take time to pray?

✦ Did I speak God's name in the right way?

Respect for Myself

✦ Did I take care of my body?

✦ Did I give thanks for all the gifts God has given me?

Respect for Others

✦ Did I obey my parents and all those who care for me?

✦ Did I hurt other people by what I said or did?

✦ Did I look for ways to help others?

Creemos y celebramos

En la historia de Jesús sobre el padre y el hijo, el hijo se arrepintió de las malas decisiones que había tomado. Otra palabra para arrepentimiento es *contrición*. Rezamos una oración especial diciendo a Dios que estamos arrepentidos de las malas decisiones que hemos tomado.

Llamamos a esta oración *acto de contrición*.

Hacemos un acto de contrición durante el sacramento de la Penitencia. He aquí uno que podemos rezar.

Acto de contrición

Dios mío,
con todo mi corazón me arrepiento
de todo el mal que he hecho y de todo lo
bueno que he dejado de hacer.
Al pecar, te he ofendido a ti,
que eres el supremo bien
y digno de ser amado sobre todas las cosas.
Propongo firmemente, con la ayuda de
tu gracia,
hacer penitencia, no volver a pecar y huir
de las ocasiones de pecado.
Señor, por los méritos de la pasión de
nuestro Salvador Jesucristo,
apiádate de mí. Amén.

Cuando rezamos

Las siguientes palabras están en el acto de contrición en esta página. Esto es lo que queremos decir a Dios cuando las rezamos.

- "propongo fírmemente"—haremos lo que prometemos.

- "hacer penitencia"—haremos algo para reparar el daño hecho por nuestras malas decisiones.

- "ten piedad"—pedimos a Dios perdón y amor.

In Jesus' story about the father and son, the son felt sorrow for the wrong choices he had made. Another word for sorrow is *contrition*.

We pray a special prayer to tell God that we are sorry for the wrong choices we have made. We call this prayer an *act of contrition*.

We pray an act of contrition during the Sacrament of Penance.

Here is one act of contrition that we can pray.

Act of Contrition

My God,
I am sorry for my sins with
   all my heart.
In choosing to do wrong
and failing to do good,
I have sinned against you
whom I should love above all things.
I firmly intend, with your help,
to do penance,
to sin no more,
and to avoid whatever leads me to sin.
Our Savior Jesus Christ
suffered and died for us.
In his name, my God, have mercy.

When We Pray

The following words are in the act of contrition on this page. This is what we are telling God when we pray them.

- "firmly intend"—We really mean to do what we promise.
- "do penance"—We will do something to make up for the wrong choices we have made.
- "have mercy"—We ask for God's love and forgiveness.

Respondemos

Usa estas páginas para mostrar:

1 un lugar donde puedes examinar tu conciencia

2 tiempo en que puedes examinar tu conciencia

3 tu familia mostrando respeto a Dios,
a ti y a los demás.

Use this page to show:

1 a place where you can examine your conscience

2 a time when you can examine your conscience

3 your family plan for showing respect for God, yourself, and others.

Our Family Plan

Respect

Respondemos en oración

✝ Líder: Dios, gracias porque siempre estás dispuesto a perdonarnos.

Todos: Acto de contrición
Dios mío,
con todo mi corazón me arrepiento de todo el mal que he hecho y de todo lo bueno que he dejado de hacer.
Al pecar, te he ofendido a ti,
que eres el supremo bien
y digno de ser amado sobre todas las cosas.
Propongo firmemente, con la ayuda de tu gracia, hacer penitencia, no volver a pecar y huir de las ocasiones de pecado.
Señor, por los méritos de la pasión de nuestro Salvador Jesucristo,
apiádate de mí. Amén.

Líder: Celebremos el amor y el perdon de Dios cantando.

♫ La alegría en el perdón

La alegría más hermosa es
la alegría en el perdón,
que en el cielo hay mucha fiesta
cuando vuelve un pecador.
Si la oveja se ha perdido,
a buscarla va el pastor.
Que en el cielo hay una fiesta
cuando vuelve un pecador.

✝ **Leader:** God, thank you for always being ready to forgive us.

All: My God,
I am sorry for my sins with all my heart.
In choosing to do wrong
and failing to do good,
I have sinned against you
whom I should love above all things.
I firmly intend, with your help,
to do penance,
to sin no more,
and to avoid whatever leads
  me to sin.
Our Savior Jesus Christ
suffered and died for us.
In his name, my God,
  have mercy.

Leader: Let us celebrate God's love and forgiveness in song.

♫ Children of God

Chorus

Children of God in one family,
  loved by God in one family.
And no matter what we do
  God loves me and God loves you.

Jesus teaches us to love.
Sometimes we get it wrong.
But God forgives us every time
  for we belong to the (Chorus)

Jesus wants us to be sorry.
Sometimes we get it wrong.
But God forgives us
  every time
  for we belong to the
(Chorus)

Nos preparamos para celebrar la Penitencia

"El Señor está en tu corazón".

Rito de la Penitencia

"May the Lord guide your hearts."

Rite of Penance

We Prepare to Celebrate Penance

El jueves pasado Margarita estaba triste. Su madre le preguntó: "¿Qué pasa Margarita?"

Ella contestó: "Mi curso va a presentar una obra sobre explorar el espacio. Entre todas, Ellie fue seleccionada para representar a Grexa, líder de la colonia espacial".

"Margarita", le dijo la madre, "¿no te alegras por Ellie? Pensé que era tu mejor amiga".

Margarita contestó: "Ellie es mi mejor amiga, pero estoy celosa. No le hablé durante el almuerzo ni durante el receso. Me siento mal porque la ofendí. ¿Qué puedo hacer?"

La mamá de Margarita pensó por un momento y le dijo: "Creo que debes decir a Ellie que estás arrepentida. Si quieres puedes llamarla ahora mismo".

Margarita llamó a Ellie y le dijo: "Lo siento Ellie". Ellie la perdonó.

¿Cómo mostró Margarita que estaba arrepentida?

Así mostraré mi arrepentimiento.

Last Tuesday Margaret was upset. Her mother asked, "What's wrong, Margaret?"

Margaret said, "Our class is going to have a play about exploring space. Everyone tried out for the role of the captain of the space station. Our teacher picked Ellie for the part."

Margaret's mother asked, "Aren't you happy for Ellie? I thought she was your best friend."

Margaret answered, "Ellie is my best friend. But I was jealous. I didn't talk to Ellie at the lunch table or outside in the yard. Now I'm sorry that I hurt Ellie. What do you think I should do?"

Margaret's mother thought for a minute. Then she said, "I think you should tell Ellie you are sorry. If you want to, you can call her now."

Margaret called Ellie. Margaret said, "I'm sorry, Ellie." Ellie forgave Margaret.

How did Margaret show she was sorry?

_____

This is how I show I am sorry.

Compartimos la palabra de Dios

 Lucas 19:1–10

Lector 1: Un día una gran cantidad de gente se reunió para ver a Jesús. Zaqueo un recaudador de impuestos estaba ahí. El era pequeño y no podía ver. Así que subió a un árbol y esperó.

Lector 2: Cuando Jesús pasó cerca del árbol vio a Zaqueo. El le dijo: "Zaqueo, baja enseguida, porque hoy tengo que hospedarme en tu casa". (Lucas 19:5)

Lector 3: Zaqueo bajó del árbol y llevó a Jesús a su casa. Algunos estaban enojados porque Jesús había ido a visitar al recaudador de impuestos. Pensaban que Zaqueo no los había tratado justamente. Ellos preguntaron a Jesús porque visitaba a un hombre que los había engañado.

Lector 4: Después Zaqueo le dijo a Jesús que iba a pagar al pueblo todo lo que le había robado. El pagó cuatro veces el total de lo que debía. Zaqueo también dijo a Jesús que daría la mitad de lo que tenía a los pobres y necesitados.

Lector 5: Zaqueo mostró con sus palabras y obras que él estaba realmente arrepentido. Jesús le perdonó sus pecados y le dijo que estaba salvo.

 Luke 19:1–10

Reader 1: One day a crowd gathered to see Jesus. Zacchaeus, a rich tax collector, was in the crowd. He wanted to see Jesus but was too short to see over the crowd. So he climbed a tree and waited.

Reader 2: As Jesus walked by the tree, he looked up. He said, "Zacchaeus, come down quickly, for today I must stay at your house." (Luke 19:5)

Reader 3: Zacchaeus climbed down. He welcomed Jesus to his home. Some people were upset that Jesus went to the tax collector's house. They thought Zacchaeus had cheated them. They did not know why Jesus was visiting this man.

Reader 4: Then Zacchaeus told Jesus that he would pay back four times the amount of money he owed to people. He would also give half of what he owned to people in need.

Reader 5: Zacchaeus showed by his words and actions that he was really sorry. Jesus told him that he was saved.

Creemos y celebramos

Cuando Jesús viajaba de pueblo en pueblo, él conocía personas. El compartía el amor y el perdón de Dios con ellas. El les perdonó sus pecados. El celebró su reconciliación con Dios y con los demás. Jesús nos dio una forma de celebrar nuestra reconciliación con Dios y con los demás. El nos dio el sacramento de la Penitencia.

Cuando celebramos el sacramento de la Penitencia nos encontramos con un sacerdote. El sacerdote actúa en nombre de Jesús. Podemos sentarnos frente al sacerdote o podemos arrodillarnos detrás de unas rejillas. El sacerdote lee una historia de la Biblia con nosotros. Después él nos habla sobre como podemos tomar buenas decisiones.

En el sacramento de la Penitencia decimos a Dios que estamos arrepentidos de nuestros pecados y prometemos no volver a pecar. Esto es la **contrición.** La perfecta contrición es estar arrepentidos de nuestros pecados porque creemos en Dios y lo amamos.

When Jesus traveled from town to town, he met many people. He shared God's love and forgiveness with them. He forgave people's sins. He celebrated their reconciliation with God and others. Jesus gave us a way to celebrate our reconciliation with God and others, too. He gave us the Sacrament of Penance.

When we celebrate the Sacrament of Penance, we meet with a priest. The priest is acting in Jesus' name. We may sit and face the priest, or we may kneel behind a screen. The priest may read a story from the Bible with us. Then he talks to us about what we can do to make right choices.

In the Sacrament of Penance we tell God that we are sorry for our sins and we promise not to sin again. This is **contrition**. Perfect contrition is being sorry for our sins because we believe in God and love him.

Creemos y celebramos

Cuando decimos nuestros pecados al sacerdote, confesamos nuestros pecados. Esta parte del sacramento es llamada **confesión**. El sacerdote nunca dice a nadie los pecados que confesamos.

Durante el sacramento, el sacerdote nos dice formas en que podemos mostrar a Dios que estamos arrepentidos. El sacerdote nos pide decir una oración extra. El nos puede decir que hagamos otras cosas. Una oración o acción que hacemos para mostrar a Dios nuestro arrepentimiento es una **penitencia**.

En la historia del evangelio sobre Zaqueo, vemos que Zaqueo promete a Jesús que él le mostraría a Dios que estaba arrepentido de sus pecados. También nosotros mostramos a Dios que estamos arrepentidos de nuestros pecados, cumpliendo con la penitencia impuesta por el sacerdote. Generalmente cumplimos la penitencia después de celebrar el sacramento.

When we tell our sins to the priest, we confess our sins. This part of the sacrament is called **confession**. The priest will never tell anyone the sins that we confess.

During this sacrament, the priest tells us ways we can show God we are sorry. The priest may tell us to say an extra prayer or prayers. He may tell us to do kind acts for others. A prayer or kind act we do to show God we are sorry is **a penance**.

In the Gospel story about Zacchaeus, we find that Zacchaeus promised Jesus that he would show God he was sorry for his sins. We, too, show God that we are sorry for our sins by doing the penance that the priest gives us. We usually do the penance after the celebration of the sacrament.

Creemos y celebramos

Después que Jesús resucitó regresó con sus apóstoles y les dio el poder de perdonar los pecados en su nombre. Hoy, en el sacramento de la penitencia, los obispos y los sacerdotes perdonan nuestros pecados en nombre de Jesús. Ellos reciben este poder en el sacramento del Orden.

Dios perdona nuestros pecados por medio de las palabras y acciones del sacerdote en el sacramento de la Penitencia. Esto es la **absolución**, la palabra *absolución* significa "quitar". Cuando recibimos la absolución nuestros pecados son perdonados.

Cuando el sacerdote da la absolución levanta su mano derecha sobre la cabeza de la persona y reza la siguiente oración:

"Dios, Padre misericordioso, que, por la muerte y resurrección de su Hijo, reconcilió consigo al mundo y derramó el Espíritu Santo para el perdón de los pecados, te conceda el perdón y la paz, por el ministerio de la Iglesia. Y yo te absuelvo de tus pecados en el nombre del Padre, y del Hijo, y del Espíritu Santo".

Respondemos: "Amén".

Cuando celebramos

Estas son las cuatro partes del sacramento de la Penitencia:
- contrición
- confesión
- penitencia
- absolución.

After Jesus rose from the dead, he returned to his Apostles and gave them the power to forgive sin in his name. And today, in the Sacrament of Penance, bishops and priests forgive our sins in Jesus' name. They received this power in the Sacrament of Holy Orders.

God forgives our sins through the words and actions of the priest in the Sacrament of Penance. This is called **absolution**. The word *absolution* comes from a word that means "taking away." When we receive absolution, our sins are taken away.

When the priest gives absolution, he stretches his right hand over each person's head and prays:

"God, the Father of mercies,
through the death and resurrection of his Son
has reconciled the world to himself
and sent the Holy Spirit among us
for the forgiveness of sins;
through the ministry of the Church
may God give you pardon and peace,
and I absolve you from your sins
in the name of the Father,
    and of the Son, †
and of the Holy Spirit."

We each respond, "Amen."

When We Celebrate

These are the four parts of the Sacrament of Penance:

- contrition
- confession
- a penance
- absolution.

69

Respondemos

Usa estas páginas para mostrar:

cuando soy perdonado …

como mi familia celebra el perdón …

Use these pages to show:

When I am forgiven I ...

Our family can celebrate forgiveness by ...

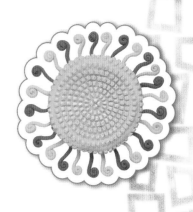

Respondemos en oración

♫ El Señor es bueno

El Señor es bueno, es bueno,
su misericordia es eterna.

Señor, enséñame tus caminos,
instrúyeme en tus sendas,
haz que camine con la lealtad,
porque eres mi Dios y mi Salvador.

✝ Oración en silencio

Cierra tus ojos.
Quédate en calma.
Respira lentamente.
Recuerda que Jesús está contigo.
El te ama mucho.

Habla con Jesús. Dile las maneras en que has
mostrado amor por:

✦ Dios (pausa)

✦ por ti mismo (pausa)

✦ por los demás. (pausa)

Ahora di a Jesús las formas en que mostrarás
que estás arrepentido de las malas decisiones
tomadas.

♫ Jesus Wants to Help Us

We believe Jesus wants to help us.
We believe Jesus wants to help us.
We believe that Jesus always wants to
 help us.

When we pray, Jesus wants to hear us.
When we pray, Jesus wants to hear us.
We believe that Jesus always wants to
 hear us.

✝ Quiet Prayer

Close your eyes. Be very still.
Breathe in. Breathe out.
Remember that Jesus is with you.
He loves you very much.

Talk with Jesus. Tell him ways you have
or have not shown love for

✦ God (Pause)

✦ yourself (Pause)

✦ others. (Pause)

Now tell Jesus the ways you will show
you are sorry for the wrong choices you
have made.

73

5

Celebramos la Penitencia con la Iglesia

"Escucha, Señor, nuestras súplicas".

Rito de la Penitencia

"Hear us, Lord, for you
are merciful and kind."

Rite of Penance

We Celebrate Penance with the Church

Nos congregamos

Los mellizos Santos van a celebrar el sacramento de la Penitencia por primera vez. Durante el desayuno Luz dijo: "Espero recordar todo lo que debo".

Su hermano Marcos contestó: "No te preocupes Luz, el Padre Miguel dijo que nos ayudaría".

Los padres los ayudaron a practicar el Acto de Contrición. A salir de la casa, el abuelo los esperaba. Luz le dijo: Me alegra que vengas con nosotros. Te voy a enseñar unas de nuestras canciones. Vamos a cantar

" _____ " .

(escribe tu respuesta)

Llegaron a la iglesia y el padre Miguel los saludó. Marcos le presentó al abuelo. "Abuelo, el padre Miguel es nuestro párroco y va a celebrar el sacramento con nosotros".

Después Luz señaló la bandera cerca del altar. Ella dijo: "Abuelo, Marcos y yo ayudamos a hacer esa bandera".

El abuelo les dijo: "Es una bandera muy especial. Vamos a sentarnos a rezar hasta que empiece la celebración".

Me preparo para celebrar el sacramento de la Penitencia por primera vez. Estas personas celebrarán conmigo . . .

" _____ "

(escribe tu respuesta)

This was the day the Santos twins were going to celebrate the Sacrament of Penance for the first time. At breakfast Luz said, "I hope I remember everything I'm supposed to do."

Luz's twin brother Marcos answered, "Don't worry, Luz. Father Michael told us that he would help us."

The twins' mother and father helped them practice the Act of Contrition until it was time to leave for church. When the twins went outside, their grandfather was sitting in the car. Luz said, "Abuelo, I'm so glad you are going with us. We'll teach you one of our songs on the way to church. We're going to sing

_____."

(fill in your answer)

When the family walked into church, Father Michael welcomed them along with all the other families. Marcos said to his grandfather, "Abuelo, this is our pastor, Father Michael. He's going to celebrate the sacrament with us."

Then Luz pointed out the banner near the altar. She said, "Abuelo, Marcos and I helped make the banner."

Then their grandfather told the twins, "That is a very special banner. Now let's sit down and pray until the celebration begins."

I am preparing to celebrate the Sacrament of Penance for the first time. These people will celebrate with me . . .

_____.

(fill in your answer)

 Lucas 7:36-50

Lector 1: En los tiempos de Jesús, cuando las personas tenían invitados a su casa, los sirvientes les lavaban los pies.

Lector 2: Un día un hombre llamado Simón invitó a Jesús a comer. Nadie se ofreció a lavar los pies de Jesús cuando entró a la casa.

Lector 3: Durante la comida, una mujer del pueblo caminó hacia Jesús. Ella se arrodilló ante él. La mujer lloró tanto, que sus lágrimas lavaron los pies sucios de Jesús. Simón sabía que era una pecadora. El le preguntó a Jesús por qué había dejado que una pecadora le lavara los pies.

Lector 4: Jesús le contestó: "Cuando entré a tu casa, no me diste agua para lavarme los pies, pero ella ha humedecido mis pies con sus lágrimas. . . le han sido perdonados sus muchos pecados".
(Lucas 7:44-47)

Lector 5: Después Jesús le dijo a la mujer: "Tus pecados te son perdonados. . . tu fe te ha salvado; vete en paz". (Lucas 7:48, 50)

We Share God's Word

📖 Luke 7:36–50

Reader 1: In Jesus' time when people had guests come to their homes, they would ask the servants to wash their guests' feet.

Reader 2: One day a man named Simon invited Jesus to dinner. But when Jesus entered the house, no one offered to wash his feet.

Reader 3: During dinner a woman from the town came in and knelt by Jesus at the table. The woman cried so hard that her tears washed the dirt from Jesus' feet. Simon thought she was a sinner. He asked Jesus why he had let a sinner wash his feet.

Reader 4: Jesus answered, "When I entered your house, you did not give me water for my feet, but she has bathed them with her tears. So I tell you, her many sins have been forgiven." (Luke 7:44, 47)

Reader 5: Then Jesus said to the woman, "Your sins are forgiven. Your faith has saved you; go in peace." (Luke 7:48, 50)

Creemos y celebramos

Cuando celebramos

Durante el sacramento del Orden, un hombre se hace sacerdote. Muchos sacerdotes sirven en parroquias locales. Ellos pasan sus vidas compartiendo el amor de Dios con el pueblo. Ellos actúan en la persona de Cristo en la celebración de la misa y los demás sacramentos.

Durante el sacramento de la Penitencia, vemos que el sacerdote usa una estola morada. Como el morado es símbolo de penitencia, esto nos recuerda mostrar arrepentimiento de nuestros pecados y hacer la penitencia impuesta por el sacerdote.

Todos necesitamos perdón y amor. Nuestra comunidad parroquial con frecuencia se reúne para celebrar el sacramento de la Penitencia. Esta es la forma en que se celebra:

✦ Cantamos un himno para iniciar. El sacerdote nos saluda.

✦ Escuchamos lecturas de la Biblia. Estas lecturas son acerca del perdón y el amor de Dios.

✦ El sacerdote nos habla sobre las lecturas.

✦ Escuchamos preguntas que nos ayudan a examinar nuestra conciencia. Pensamos en las decisiones que hemos tomado.

✦ Juntos rezamos un acto de contrición. Decimos a Dios que estamos arrepentidos de nuestros pecados y que trataremos de no volver a pecar. Juntos rezamos un Padrenuestro.

We all need God's forgiveness and love. So our parish community often gathers to celebrate the Sacrament of Penance together. This is what we do.

✦ We sing a song together. Then we are welcomed by the priest.

✦ We listen to readings from the Bible. These readings are about God's love and forgiveness.

✦ The priest talks to us about the readings.

✦ We listen to questions that are part of an examination of conscience. We think about the choices we have made.

✦ We say an act of contrition together. We tell God we are sorry for our sins and that we will try not to sin again. Then together we pray the Our Father.

When We Celebrate

Through the Sacrament of Holy Orders, a man becomes a priest. Many priests serve in local parishes. They spend their lives sharing God's love with people. They act in the Person of Christ in celebrating Mass and other sacraments.

During the Sacrament of Penance, we will see the priest wearing a purple stole. Since purple is a sign of penance, it helps us to remember to show our sorrow for sin by doing the penance the priest gives us.

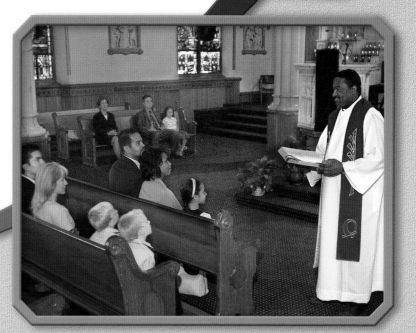

Vayan en paz

- Nos reunimos individualmente con el sacerdote y confesamos nuestros pecados.

- El sacerdote da una penitencia a cada uno.

- Cada persona recibe la absolución. El sacerdote eleva su mano derecha sobre la cabeza de la persona y dice las palabras de la absolución en nombre de Dios, los pecados de cada persona son perdonados por el sacerdote.

- Juntos damos gracias y alabamos a Dios por su misericordia.

- El sacerdote bendice a la comunidad parroquial. El nos dice: "Vayan en paz".

+ Each person goes alone to tell his or her sins to the priest.

+ The priest gives a penance to each person.

+ Each person receives absolution. The priest stretches his right hand over each person's head and says the words of absolution. In God's name each person's sins are forgiven by the priest.

+ Together we all praise and thank God for his mercy.

+ The priest blesses the parish community. He tells all of us to "Go in peace."

Go in Peace

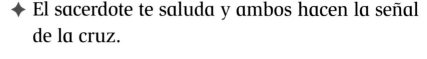

Creemos y celebramos

Algunas veces celebramos el sacramento de la Penitencia solos con el sacerdote.

Esto es lo que pasa cuando la celebramos de esa forma:

✦ El sacerdote te saluda y ambos hacen la señal de la cruz.

✦ Escuchas al sacerdote compartir una historia bíblica sobre el perdón de Dios.

✦ Confiesas tus pecados al sacerdote.

✦ El sacerdote te habla sobre tomar buenas decisiones.

✦ El sacerdote te impone una penitencia. Cumples tu penitencia al terminar la celebración del sacramento.

✦ Rezas un acto de contrición. Dices al sacerdote que estás arrepentido de haber pecado y que tratarás de no volver a pecar.

✦ Recibes la absolución. El sacerdote levanta su mano derecha sobre tu cabeza y dice las palabras de la absolución. En el nombre de Dios el sacerdote te perdona tus pecados.

✦ Junto al sacerdote das gracias a Dios por su amor y perdón.

✦ El sacerdote te manda a ir en paz.

Sometimes you will celebrate the Sacrament of Penance individually with the priest.

Here is what happens when you celebrate the sacrament this way.

+ The priest welcomes you, and you both make the sign of the cross.

+ You listen as the priest shares a Bible story about God's forgiveness.

+ You confess your sins to the priest.

+ You and the priest talk about making right choices.

+ The priest gives a penance to you. You will do your penance after the celebration of the sacrament.

+ You pray an act of contrition. You tell God you are sorry for your sins and that you will try not to sin again.

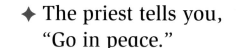
+ You receive absolution. The priest stretches his right hand over your head and says the words of absolution. In God's name your sins are forgiven by the priest.

+ You and the priest praise and thank God for his love and forgiveness.

+ The priest tells you, "Go in peace."

Usa estas páginas para:

1. dar gracias a las personas que te ayudaron a preparar para la primera Penitencia

2. escribir donde celebrarás la primera Penitencia

3. dibujar la bandera diseñada por tu familia para tu primera Penitencia.

Use these pages to:

1 give thanks to the people who helped you prepare for First Penance

2 write the name of the church where you will celebrate First Penance

3 show your family's banner design for First Penance.

Thank You

Respondemos en oración

✝ **Líder:** Vamos a rezar y a cantar juntos.

Todos: Escúchanos, Señor,
porque eres misericordioso y bueno.

Por tu gran compasión,
míranos con amor.

Amén.

🎵 **Lo siento, perdón**

Quiero que me enseñes, Señor
a perdonar.
Quiero que me enseñes Señor,
a pedir perdón.
Quiero que me enseñes, Señor
a perdonar.
Quiero que me enseñes Señor,
a pedir perdón.

Señor a pedir perdón.

✝ **Leader:** Let us pray and sing together.

All: Hear us, Lord,
for you are merciful and kind.
In your great compassion,
look on us with love.
Amen.

🎵 **We Come to Ask Forgiveness**

Chorus

We come to ask your forgiveness, O Lord,
and we seek forgiveness from each other.
Sometimes we build up walls instead of
bridges to peace,
and we ask your forgiveness, O Lord.

Sometimes we hurt
by what we do to others.
Sometimes we hurt
with words that are untrue.
Sometimes we cause others pain
by what we fail to do,
and we ask your forgiveness, O Lord. (Chorus)

For the times when we've been rude and selfish,
for the times when we have been unkind;
and for the times we refused
to help our friends in need,
we ask your forgiveness,
O Lord. (Chorus)

89

"Sean testigos de tu amor ante el mundo".

Rito de la Penitencia

6

"Make us living signs
of your love."

Rite of Penance

We Are Peacemakers

Justin y Alejandro pertenecen al mismo equipo de fútbol. El mes pasado después de un juego, Justin le gritó a Alejandro y se burló de él por haber permitido un gol. Alejandro se fue a su casa muy triste.

Justin y Alejandro no se contentaron. Parecía como si cada uno quisiera que los demás jugadores se pusieran de su parte. De hecho algunos de los jugadores se pusieron de parte de uno o de otro.

Entonces, un día antes de las prácticas la Señora Díaz, la entrenadora, dijo: "Muchachos, la semana que viene es el campeonato. Ustedes no han estado jugando como equipo, ¿cuál es el problema?"

Algunos explicaron lo que pasaba.

La Señora Díaz: "Justin y Alejandro, es tiempo de que hagan las paces. Su problema nos ha afectado a todos. Así podremos tener la oportunidad de ganar el campeonato".

Justin y Alejandro pensaron lo que la entrenadora había dicho y decidieron:

_____.

(escribe tu respuesta)

Es así como trabajo con otros . . .

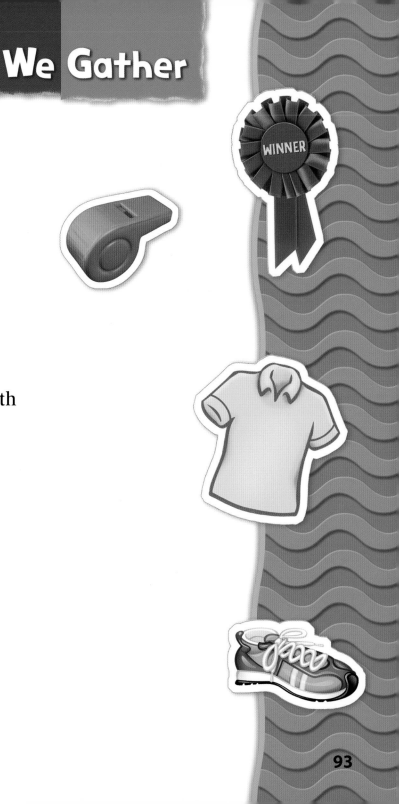

Justin and Alex were on the same soccer team. Last month after a game, Justin yelled at Alex and made fun of him for missing a goal. Alex was very upset. He walked away and went home.

Justin and Alex did not make up with each other. Each boy seemed to want his teammates to side with him. And some of the teammates did choose sides.

Then one day before practice, Mrs. Diaz, the coach, said, "Boys and girls, next week is the championship game. You have not been playing together as a team. What seems to be the problem?"

Someone explained what had happened.

Mrs. Diaz said, "Justin and Alex, it's time you two made up with each other. Your problem has hurt all of us. Everyone on the team needs to work together. Then we will have a chance at winning the championship game."

Justin and Alex thought about what their coach had said. They decided

_____.

(fill in your answer)

This is how I work together with others . . .

Compartimos la palabra de Dios

 Mateo 5:1–2, 9

Lector 1. Un día una multitud de personas se reunió para ver a Jesús. Jesús subió a la cima de una montaña para desde ahí enseñar. El sabía que sus palabras ayudaban a todos los que lo escuchaban.

Lector 2: Jesús dijo ese día:

"Dichosos los que construyen la paz
porque Dios los llamará sus hijos".
(Mateo 5:9)

Jesús nos dijo que él quiere que trabajemos por la paz. Trabajamos por la paz cuando pedimos perdón a otros. También trabajamos por la paz cuando perdonamos a los demás.

We Share God's Word

📖 Matthew 5:1–2, 9

Reader 1: One day a very large crowd of people gathered to see Jesus. Jesus went up to the top of a mountain to teach. He knew that doing this would help everyone in the crowd to see and hear him.

Reader 2: Jesus said that day,

"Blessed are the peacemakers,
for they will be called children of God."
(Matthew 5:9)

Jesus told us that he wants us to be peacemakers, too. We are peacemakers when we ask others to forgive us. We are also peacemakers when we forgive others.

Al final de la celebración del sacramento de la Penitencia, el sacerdote nos dice: "Vete en paz". Nos vamos en paz porque hemos sido perdonados. Tan pronto como sea posible debemos cumplir la penitencia impuesta por el sacerdote. La penitencia puede ser decir una o varias oraciones. La penitencia puede también ser hacer algo. Cuando hacemos penitencia estamos demostrando que estamos arrepentidos de nuestros pecados.

Santo amable que trabajó por la paz

San Francisco de Asís vivió hace muchos años en Asís, Italia. Cuando Francisco era joven, él se parecía al joven rico de la historia de Jesús. Francisco tomó muchas decisiones equivocadas. Pero no era feliz. El quería cambiar la forma en que vivía. Le pidió perdón a Dios.

Francisco cambió su forma de vivir. El pasó mucho tiempo de su vida enseñando sobre el amor y el perdón de Dios. El trató a todo el mundo con amor y respeto.

Un día San Francisco escuchó que dos pueblos estaban en guerra.

El les pidió poner sus armas a un lado. Ayudó a la gente de los dos pueblos a perdonarse y a hacer las paces. San Francisco escribió una oración por la paz que todavía hoy rezamos. La oración se inicia así: "Señor, hazme instrumento de tu paz".

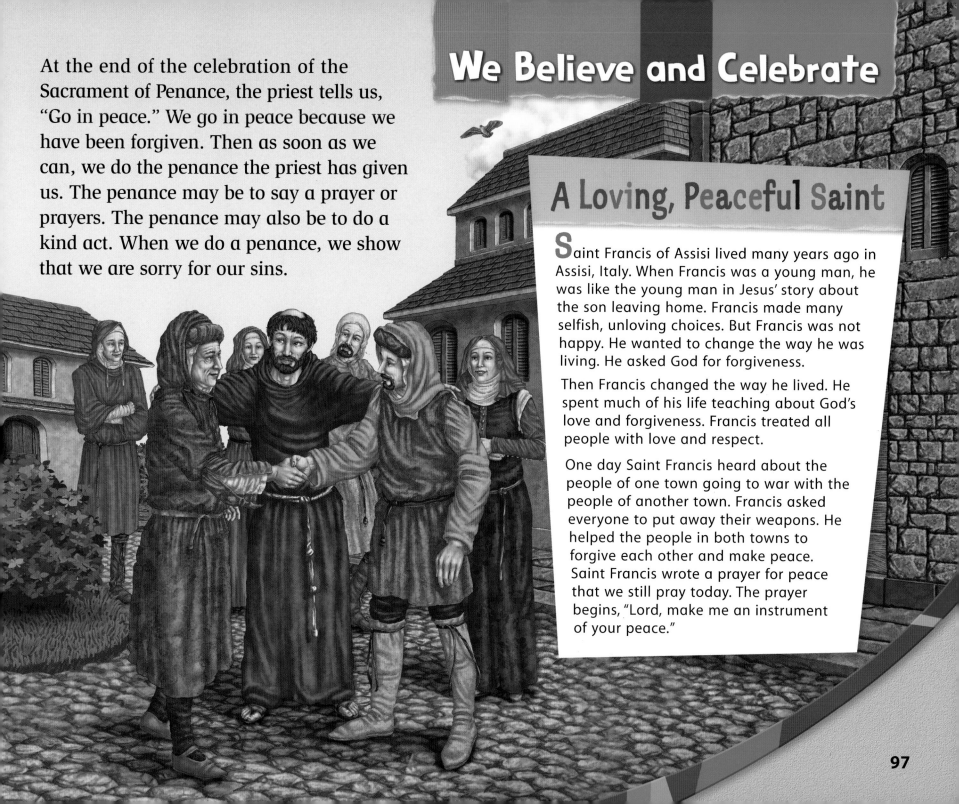

At the end of the celebration of the Sacrament of Penance, the priest tells us, "Go in peace." We go in peace because we have been forgiven. Then as soon as we can, we do the penance the priest has given us. The penance may be to say a prayer or prayers. The penance may also be to do a kind act. When we do a penance, we show that we are sorry for our sins.

A Loving, Peaceful Saint

Saint Francis of Assisi lived many years ago in Assisi, Italy. When Francis was a young man, he was like the young man in Jesus' story about the son leaving home. Francis made many selfish, unloving choices. But Francis was not happy. He wanted to change the way he was living. He asked God for forgiveness.

Then Francis changed the way he lived. He spent much of his life teaching about God's love and forgiveness. Francis treated all people with love and respect.

One day Saint Francis heard about the people of one town going to war with the people of another town. Francis asked everyone to put away their weapons. He helped the people in both towns to forgive each other and make peace. Saint Francis wrote a prayer for peace that we still pray today. The prayer begins, "Lord, make me an instrument of your peace."

Creemos y celebramos

Por medio del sacramento de la Penitencia:

✦ somos llenos de la gracia de Dios.

✦ nos unimos a Dios y a la Iglesia

✦ Dios nos quita la culpa de nuestros pecados

✦ recibimos paz y consuelo

✦ somos fortalecidos para amar a Dios.

La noche antes de morir, Jesús dijo: "Les dejo mi paz, mi paz les doy". (Juan 14:27)

Esa misma noche, Jesús también prometió a sus discípulos que el Espíritu Santo vendría sobre ellos para ayudarlos. El Espíritu Santo vino a la Iglesia en Pentecostés. Dios, el Espíritu Santo, está con la Iglesia para guiarnos.

El Espíritu Santo ayuda a la gente de todas las edades a tomar buenas y pacíficas decisiones. Lee algo sobre buenas decisiones tomadas por niños de tu edad.

✦ A la hora del almuerzo, Carolina le pidió a una niña nueva en la escuela sentarse con ella y sus amigos. Ellos la ayudaron a sentirse bienvenida en el grupo.

✦ El hermano menor de Alberto y su hermana se pelearon. Alberto los ayudó a hacer las paces.

Through the Sacrament of Penance:

✦ we are filled with God's grace

✦ we are joined to God and the Church

✦ God takes away punishment for our sins

✦ we receive peace and comfort

✦ we are strengthened to love God.

On the night before he died, Jesus said, "Peace I leave with you; my peace I give to you." (John 14:27)

On that same night, Jesus also promised his disciples that the Holy Spirit would come to be our Helper. The Holy Spirit came to the Church on Pentecost. God the Holy Spirit is with the Church to guide us.

The Holy Spirit helps people of all ages to make loving, peaceful choices. Read about some of the peaceful choices made by children who are your age.

✦ At lunchtime Caroline asked a new student to sit with her and her friends. They helped the new student feel welcome in their group.

✦ Alberto's younger brother and sister were fighting with each other. Alberto helped them to make up with each other.

Creemos y celebramos

- ✦ Lisa trata de aprender sobre las personas que viven en otros países. Ella comparte lo que aprende con sus amigos y su familia. Ella reza por la paz en el mundo.

- ✦ Damián empujó a su hermana Rosa, cuando estaban en la fila en la tienda. Cuando Damián vio que Rosa estaba triste, él le dijo que lo sentía. Rosa perdonó a su hermano.

- ✦ La vecina de Sara, la señora Calista, estuvo en el hospital durante dos semanas. Cuando regresó a su casa, Sara trató de no molestar a la señora Calista jugando en silencio en el patio de la casa.

Piensa en una elección de paz que hayas hecho. Comparte tu decisión con un miembro de tu familia.

Tu foto aquí.

Place your picture here.

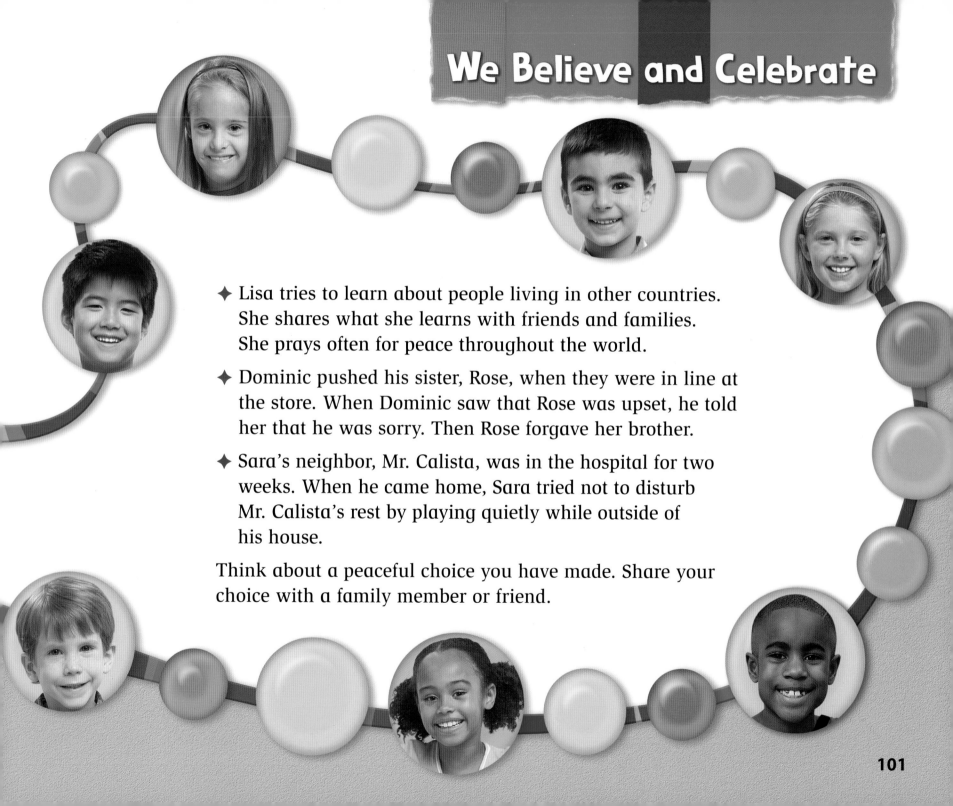

We Believe and Celebrate

✦ Lisa tries to learn about people living in other countries. She shares what she learns with friends and families. She prays often for peace throughout the world.

✦ Dominic pushed his sister, Rose, when they were in line at the store. When Dominic saw that Rose was upset, he told her that he was sorry. Then Rose forgave her brother.

✦ Sara's neighbor, Mr. Calista, was in the hospital for two weeks. When he came home, Sara tried not to disturb Mr. Calista's rest by playing quietly while outside of his house.

Think about a peaceful choice you have made. Share your choice with a family member or friend.

Respondemos

Usa estas páginas para mostrar:

1. personas que trabajan por la paz

2. como comparten el don de la paz de Dios

3. algunas de las formas en que mi familia comparte el don de la paz de Dios.

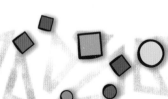

Use these pages to show:

1 people who are peacemakers

2 how they share God's gift of peace

3 some ways my family can share God's gift of peace.

Respondemos en oración

🎵 **Nosotros somos tu pueblo**
We are God's People

Nosotros somos su pueblo
We are God's people
Y ovejas de su rebaño
The flock of the lord.

✝ **Líder:** Vamos a escuchar lo que nos enseñó Jesús sobre el don del perdón y la paz.

Lector: "Dichosos los que construyen la paz porque Dios los llamará sus hijos". (Mateo 5:9)

Todos: Espíritu Santo, ayúdanos a hacer lo que Jesús nos pide. Ayúdanos a perdonar a los demás. Ayúdanos a compartir la paz de Dios en nuestros hogares, parroquia y vecindarios.

Líder: Espíritu Santo, te pedimos por la paz en el mundo. Ahora vamos a compartir el saludo de la paz.

Todos: Señor, haznos instrumentos de tu paz.

♫ God Has Made Us a Family

God has made us a family,
and together we will grow in love.
God has made us a family,
and together we will grow in love.

Oh yes! We need one another,
as together we grow in love;
and we will forgive one another,
as together we grow in love.

Foto de tu
familia

Place Your Family
Photo Here

We Respond in Prayer

✝ **Leader:** Let us listen to what Jesus taught us about God's gifts of forgiveness and peace.

Reader: "Blessed are the peacemakers, for they will be called children of God." (Matthew 5:9)

All: Holy Spirit, help us do what Jesus asked us to do. Help us to forgive others. Help us to share God's peace in our home, our parish, and our neighborhood.

Leader: Holy Spirit, we pray for peace throughout the world. Let us share a sign of peace with one another.

All: Lord, make us instruments of your peace.

Los Diez Mandamientos

Los Diez Mandamientos	Formas de cumplir los mandamientos
1. Yo soy el Señor, tu Dios. No habrá para ti otros dioses delante de mí.	Creemos que hay un solo Dios.
2. No tomarás en falso el nombre del Señor, tu Dios.	Usamos el nombre de Dios con amor y respeto.
3. Guardarás el día del sábado para santificarlo.	Nos unimos a nuestra parroquia todas las semanas para celebrar la misa el domingo o el sábado en la tarde.
4. Honra a tu padre y a tu madre.	Obedecemos a nuestros padres y a los que nos cuidan.
5. No matarás.	Respetamos la vida humana.
6. No cometerás adulterio.	Respetamos nuestros cuerpos y el cuerpo de los demás.
7. No robarás.	Cuidamos nuestras pertenencias y compartimos lo que tenemos.
8. No darás testimonio falso contra tu prójimo.	Decimos la verdad.
9. No desearás la mujer de tu prójimo.	Mostramos que estamos felices y agradecidos de nuestras familias y amigos.
10. No codiciarás nada que sea de tu prójimo.	Mostramos que estamos felices y agradecidos de lo que tenemos.

The Ten Commandments

The Ten Commandments	Ways to Follow the Commandments
1. I am the LORD your God: you shall not have strange gods before me.	We believe that there is only one God.
2. You shall not take the name of the LORD your God in vain.	We speak God's name only with love and respect.
3. Remember to keep holy the LORD's Day.	We join our parish each week for Mass on Sunday or Saturday evening and holy days of obligation.
4. Honor your father and your mother.	We obey our parents and all who care for us.
5. You shall not kill.	We respect all human life.
6. You shall not commit adultery.	We respect our bodies and the bodies of others.
7. You shall not steal.	We take care of what we own and share with those in need.
8. You shall not bear false witness against your neighbor.	We tell the truth.
9. You shall not covet your neighbor's wife.	We show that we are happy and thankful for our family and friends.
10. You shall not covet your neighbor's goods.	We show that we are happy and thankful for what we own.

Celebración individual de la Penitencia

Primero, examino mi conciencia.
El sacerdote me saluda.
Ambos hacemos la señal de la cruz.

El sacerdote me pide confiar en la misericordia de Dios.
El sacerdote o yo lee algo de la Biblia.

Hablo con el sacerdote y confieso mis pecados.
El sacerdote me habla sobre amar a Dios y a los demás.
El sacerdote me da una penitencia.
Rezo un acto de contrición.

En nombre de Dios y la Iglesia, el sacerdote me da la absolución.
El sacerdote extiende su mano sobre mi cabeza.
Con estas palabras y acciones del sacerdote recibo el perdón de Dios de mis pecados.
Junto con el sacerdote damos gracias por el perdón de Dios. Soy enviado a ir en paz y a cumplir la penitencia que me impuso el sacerdote.

Celebrando con la comunidad

Cantamos un himno para iniciar.
El sacerdote nos saluda.
El sacerdote hace una oración.
Escuchamos una lectura de la Biblia y una homilía.

Escuchamos preguntas que nos ayudan a examinar nuestra conciencia.
Juntos rezamos un acto de contrición.
Podemos hacer una oración o cantar un himno.
Después rezamos un Padrenuestro.

Nos reunimos individualmente con el sacerdote y confesamos nuestros pecados.
El sacerdote me da una penitencia.
Después el sacerdote me da la absolución.

Después que cada uno se ha reunido con el sacerdote damos gracias a Dios por su amor y perdón. El sacerdote hace una oración final dando gracias a Dios.

El sacerdote nos bendice. Después somos enviados a ir en paz y a hacer la penitencia que nos impuso el sacerdote.

Celebrating Penance Individually

First I examine my conscience.
The priest greets me.
We both make the sign of the cross.

The priest asks me to trust in God's mercy.
The priest or I may read from the Bible.

I talk with the priest and I confess my sins.
The priest talks to me about loving God and others.
He gives me a penance.
I pray an act of contrition.

In the name of God and the Church, the priest
gives me absolution:
The priest extends his hand over my head.
Through the words and actions of the priest,
I receive God's forgiveness of my sins.

Together the priest and I give thanks for
God's forgiveness.
I am sent to go in peace and to do the
penance the priest gave me.

Celebrating Penance with the Community

We sing an opening hymn.
The priest greets us.
The priest prays an opening prayer.
We listen to a reading from the Bible
and a homily.

We listen to questions that help us to examine
our conscience.
Together we pray an act of contrition.
We may say a prayer or sing a song.
Then we pray the Our Father.

I meet individually with a priest to confess my sins.
The priest gives me a penance.
The priest gives me absolution.

After everyone has met individually with a priest,
we thank God together for loving and forgiving us.
The priest says a concluding prayer to thank God.
The priest blesses us.
We are sent to go in peace and do the penance
the priest gave to each of us.

Señal de la Cruz

En el nombre del Padre, y del Hijo, y del Espíritu Santo. Amén.

Gloria

Gloria al Padre y al Hijo y al Espíritu Santo.
Como era en el principio, ahora y siempre, por los siglos de los siglos. Amén.

Padrenuestro

Padre nuestro, que estás en el cielo, santificado sea tu Nombre;
venga a nosotros tu reino;
hágase tu voluntad en la tierra como en el cielo.
Danos hoy nuestro pan de cada día;
perdona nuestras ofensas,
como también nosotros perdonamos a los que nos ofenden;
no nos dejes caer en la tentación, y líbranos del mal. Amén

Sign of the Cross

In the name of the Father,
and of the Son,
and of the Holy Spirit. Amen.

Glory to the Father

Glory to the Father, and to the Son,
and to the Holy Spirit:
As it was in the beginning,
is now, and will be for ever. Amen.

Our Father

Our Father, who art in heaven,
hallowed be thy name;
thy kingdom come;
thy will be done on earth
as it is in heaven.
Give us this day our daily bread;
and forgive us our trespasses
as we forgive those
who trespass against us;
and lead us not into temptation,
but deliver us from evil.
Amen.

Acto de contrición

Dios mío,
con todo mi corazón me arrepiento
de todo el mal que he hecho y de todo lo bueno
que he dejado de hacer.
Al pecar, te he ofendido a ti,
que eres el supremo bien
y digno de ser amado sobre todas las cosas.
Propongo firmemente, con la ayuda de tu gracia,
hacer penitencia, no volver a pecar y huir de las
ocasiones de pecado.
Señor, por los méritos de la pasión de nuestro
Salvador Jesucristo,
apiádate de mí. Amén.

Ave María

Dios te salve María, llena eres de gracia;
el Señor es contigo;
bendita tú eres entre todas las mujeres,
y bendito es el fruto de tu vientre, Jesús.
Santa María, Madre de Dios,
ruega por nosotros pecadores, ahora y en
la hora de nuestra muerte.
Amén.

Act of Contrition

My God,
I am sorry for my sins with all my heart.
In choosing to do wrong
and failing to do good,
I have sinned against you
whom I should love above all things.
I firmly intend, with your help,
to do penance,
to sin no more,
and to avoid whatever leads me to sin.
Our Savior Jesus Christ
suffered and died for us.
In his name, my God, have mercy.

Hail Mary

Hail Mary, full of grace,
the Lord is with you!
Blessed are you among women,
and blessed is the fruit
    of your womb, Jesus.
Holy Mary, Mother of God,
pray for us sinners,
now and at the hour of our death.
Amen.

Oración para la mañana

Mi Dios, te ofrezco en este día
todo lo que piense y diga, unido a lo
que en la tierra hizo Jesucristo, tu Hijo.

Oración para la noche

Dios de amor,
antes de dormir quiero agradecerte
por este día lleno de tu bondad y tu gozo.
Cierro mis ojos y descanso
seguro en tu amoroso cuidado.

Oración por la paz

Señor, hazme instrumento de tu paz.
Donde haya odio, que yo siembre amor;
donde haya injuria, perdón;
donde haya discordia, unión;
donde haya duda, fe;
donde haya error, verdad;
donde haya desaliento, esperanza;
donde haya tristeza, alegría;
donde haya sombras, luz.

Oh divino Maestro, concédeme
que no busque ser consolado,
sino consolar;
ser comprendido, sino comprender;
ser amado, sino amar.
Porque es dando que recibimos;
perdonando que tú nos perdonas;
y muriendo en ti que nacemos a la
    vida eterna.

San Francisco de Asís

Morning Prayer

My God, I offer you today
All that I think and do and say,
Uniting it with what was done,
On earth, by Jesus Christ, your Son.

Evening Prayer

Dear God, before I sleep
I want to thank you for this day,
so full of your kindness and your joy.
I close my eyes to rest,
safe in your loving care.

Prayer for Peace

Lord, make me an instrument of your peace:
where there is hatred, let me sow love;
where there is injury, pardon;
where there is doubt, faith;
where there is despair, hope;
where there is darkness, light;
where there is sadness, joy.

O divine Master, grant that I may not so much
    seek to be consoled as to console,
to be understood as to understand,
to be loved as to love.
For it is in giving that we receive,
it is in pardoning that we are pardoned,
it is in dying that we are born to eternal life.
Amen.

Saint Francis of Assisi

Preparándose para la Penitencia y Reconciliación: Como tomar buenas decisiones

1. Cuando tienes que tomar una decisión, busca un lugar tranquilo para pensar. Piensa en las decisiones, buenas y malas, que has tomado.

2. Reza: Espíritu Santo, ayúdame a tomar buenas decisiones.

3. Ahora piensa en cada una de tus decisiones y hazte las siguientes preguntas.

   ¿Cuál de estas decisiones muestran mi amor
   ✦ por Dios?
   ✦ por los demás?
   ✦ por mí?

   Si has amado a Dios, a los demás y a ti, es una buena decisión.

4. Habla de tus decisiones con alguien en quien confías.

5. Con la ayuda de Dios puedes escoger hacer lo correcto.

Preparing for Penance and Reconciliation: How to Make Good and Loving Choices

1. When you have a choice to make, find a quiet place where you can think. Think about each of the choices, good and bad, that you can make.

2. Pray: Holy Spirit, help me to make good and loving choices.

3. Now think about each of your choices, and ask yourself these questions.

   Will this choice show that I love:
   ✦ God?
   ✦ others?
   ✦ myself?

   If I say "yes" to loving God, others, and myself, it is a good choice.

4. Ask someone you can trust to talk with you about your choices.

5. With God's help you can choose to do the good and loving thing.

Compartimos nuestra fe

Mira los dibujos y las afirmaciones y aparéalas. Usalas para decir a tu familia lo que aprendiste en este capítulo.

Nuestra conciencia es un don de Dios que nos ayuda tomar decisiones correctas.

Mostramos amor a Dios uniéndonos a nuestra parroquia los domingos para la misa.

Cuando cumplimos el Gran Mandamiento vivimos como hijos de Dios.

Habla sobre lo que Jesús nos pidió hacer cuando nos dio el Gran Mandamiento.

Escribe la palabra que falta.

Vertical

1. _____ dijo que amáramos a los otros como a nosotros mismos.

Horizontal

2. _____ dio leyes especiales a su pueblo porque lo amaba.

3. El Gran Mandamiento nos pide amar a Dios, a nosotros y a los _____.

① Sharing Our Faith

Look at the pictures and statements below. Match them. Use each match to tell your family what you learned in this chapter.

● Our conscience is a gift from God to help us make the right choices.

● We can show our love for God by joining our parish each week at Mass.

● When we follow the Great Commandment, we live as God's children.

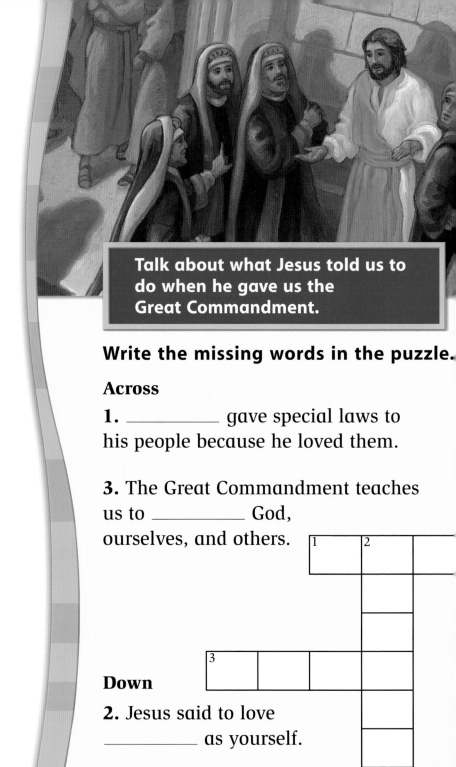

Talk about what Jesus told us to do when he gave us the Great Commandment.

Write the missing words in the puzzle.

Across

1. _____ gave special laws to his people because he loved them.

3. The Great Commandment teaches us to _____ God, ourselves, and others.

Down

2. Jesus said to love _____ as yourself.

2 Compartimos nuestra fe

Mira las fotos y las afirmaciones y aparéalas. Usalas para decir a tu familia lo que aprendiste en este capítulo.

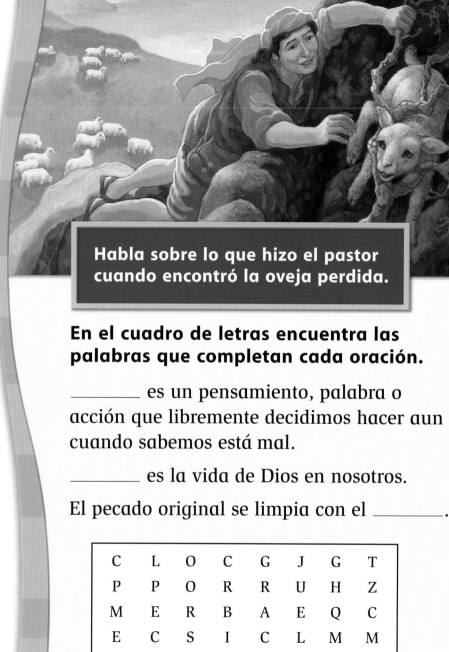

● Jesús, nuestro Buen Pastor nos guía a reconciliarnos con Dios y los demás.

Habla sobre lo que hizo el pastor cuando encontró la oveja perdida.

En el cuadro de letras encuentra las palabras que completan cada oración.

_____ es un pensamiento, palabra o acción que libremente decidimos hacer aun cuando sabemos está mal.

_____ es la vida de Dios en nosotros.

El pecado original se limpia con el _____.

● En el Bautismo, el pecado original y todo otro pecado es perdonado.

C	L	O	C	G	J	G	T
P	P	O	R	R	U	H	Z
M	E	R	B	A	E	Q	C
E	C	S	I	C	L	M	M
B	A	U	T	I	S	M	O
J	D	E	S	A	L	S	T
B	O	E	A	S	P	U	K

● En el sacramento de la Penitencia pedimos y recibimos el perdón de Dios de nuestros pecados.

119

Sharing Our Faith

Look at the pictures and statements below. Match them. Use each match to tell your family what you learned in this chapter.

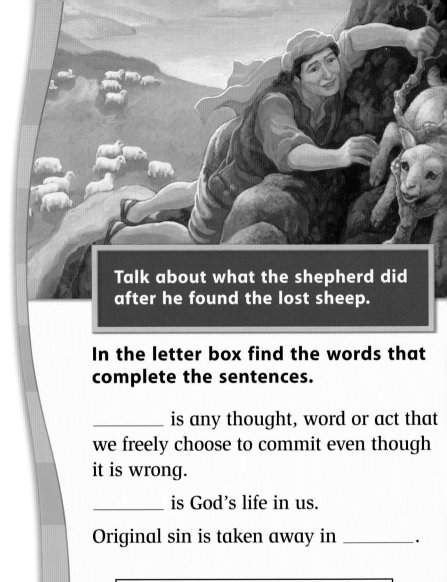

Jesus our Good Shepherd leads us to reconciliation with God and others.

In Baptism, original sin and all other sins are taken away.

In the Sacrament of Penance we ask for and receive God's forgiveness of our sins.

Talk about what the shepherd did after he found the lost sheep.

In the letter box find the words that complete the sentences.

_____ is any thought, word or act that we freely choose to commit even though it is wrong.

_____ is God's life in us.

Original sin is taken away in _____.

C	X	O	C	R	J	L
P	T	O	R	E	U	H
M	G	R	A	C	E	Q
M	E	M	S	O	A	S
S	B	C	D	N	E	I
B	G	E	S	C	S	N
B	A	P	T	I	S	M

Mira las fotos y las afirmaciones y aparéalas. Usalas para decir a tu familia lo que aprendiste en este capítulo.

Cuando nos preparamos para el sacramento de la Penitencia hacemos un examen de conciencia.

Dios quiere que mostremos respeto por él, por nosotros mismos y los demás.

Un acto de contrición es una oración especial donde decimos a Dios que estamos arrepentidos de nuestros pecados.

Habla acerca de lo que hizo el padre cuando vio a su hijo regresar a la casa.

Encuentra la palabra que falta para completar la oración. Usa un lápiz de color para rellenar los espacios con una "X".

Estoy arrepentido de todo corazón de

mis pecados y pido _____.

③ Sharing Our Faith

Look at the pictures and statements below. Match them. Use each match to tell your family what you learned in this chapter.

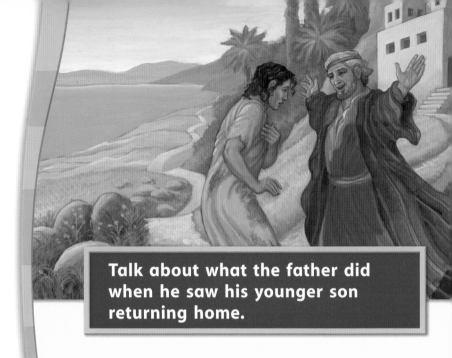

As we prepare to celebrate the Sacrament of Penance, we make an examination of conscience.

God wants us to show respect for him, ourselves and others.

An act of contrition is a special prayer to tell God we are sorry for the wrong choices we have made.

Talk about what the father did when he saw his younger son returning home.

Find the word missing for the sentence. Color the "X" spaces to find the clue.

I am _____ for my sins with all my heart.

Mira las fotos y las afirmaciones y aparéalas. Usalas para decir a tu familia lo que aprendiste en este capítulo.

En el sacramento de la Penitencia, el sacerdote comparte una historia de la Biblia. El nos habla sobre como tomar buenas decisiones.

En el sacramento de la Penitencia confesamos nuestros pecados al sacerdote.

Dios perdona nuestros pecados por medio de las palabras y acciones del sacerdote. Esto es llamado absolución.

Habla sobre lo que Zaqueo dijo que iba a hacer para mostrar a Jesús que estaba arrepentido.

Usa el código. Encuentra las palabras para completar las oraciones.

E	J	N	R	S	U	V	C	A
1	2	3	4	5	6	7	8	9

En el sacramento de la Penitencia el sacerdote actúa en nombre de

___ ___ ___ ___ ___.
2   1   5   6   5

El sacerdote ___ ___ ___ ___ ___
3   6   3   8   9

dice a nadie los pecados que confesamos.

④ Sharing Our Faith

Look at the pictures and statements below. Match them. Use each match to tell your family what you learned in this chapter.

In the Sacrament of Penance, the priest may read a story from the Bible. He talks to us about what we can do to make right choices.

In the Sacrament of Penance we confess our sins to the priest.

God forgives our sins through the words and actions of the priest. This is called absolution.

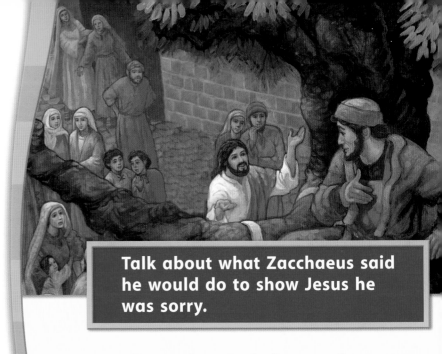

Talk about what Zacchaeus said he would do to show Jesus he was sorry.

Use the code. Find the words to complete the sentence.

1	2	3	4	5	6	7
E	J	N	R	S	U	V

In the Sacrament of Penance, the priest is acting in

____ ____ ____ ____ ____' name.
 2   1   5   6   5

The priest will ____ ____ ____ ____ ____
                  3   1   7   1   4

tell anyone the sins we confess.

Mira las fotos y las afirmaciones y aparéalas. Usalas para decir a tu familia lo que aprendiste en este capítulo.

● Una comunidad parroquial puede reunirse para celebrar el sacramento de la Penitencia.

Habla sobre lo que Jesús dijo a:
- Simón
- la mujer

● El sacerdote extiende su mano derecha sobre la cabeza de la persona y dice las palabras de la absolución.

Durante el sacramento de la Penitencia, el sacerdote usa una estola morada. Colorea la estola del sacerdote para que recuerdes tu reconciliación.

● Al final de la celebración el sacerdote dice a la comunidad "Podéis ir en paz".

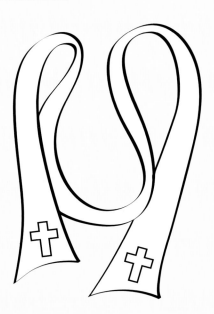

Look at the pictures and statements below. Match them. Use each match to tell your family what you learned in this chapter.

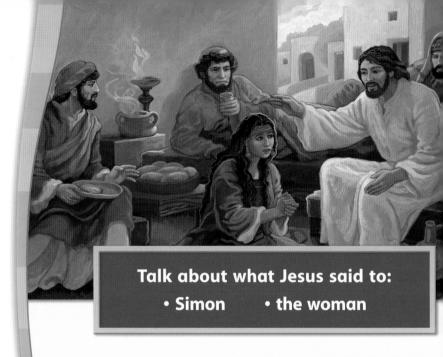

Talk about what Jesus said to:
- Simon
- the woman

A parish community can gather together to celebrate the Sacrament of Penance.

During the Sacrament of Penance, the priest wears a purple stole. Color and decorate the priest's stole to help you remember that purple is a sign of penance.

The priest stretches his right hand over each person's head and says the words of absolution.

At the end of the celebration, the priest tells you to "go in peace."

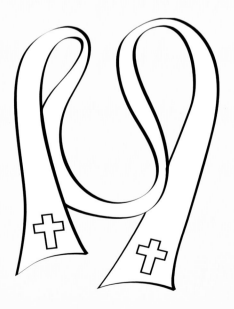

Mira las fotos y las afirmaciones y aparéalas. Usalas para decir a tu familia lo que aprendiste en este capítulo.

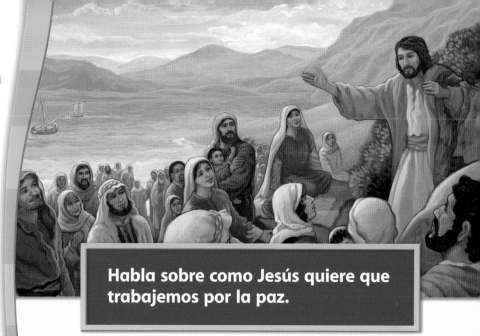

Después de la celebración del sacramento hacemos la penitencia que el sacerdote nos impuso.

Habla sobre como Jesús quiere que trabajemos por la paz.

El Espíritu Santo ayuda a la gente a tomar decisiones pacíficas y amorosas.

Haz una historieta sobre una decisión pacífica que puedes tomar.

San Francisco es uno de los santos que nos muestra como trabajar por la paz.

6 Sharing Our Faith

Look at the pictures and statements below. Match them. Use each match to tell your family what you learned in this chapter.

After celebrating the sacrament we do the penance the priest gave us.

The Holy Spirit helps people to make loving, peaceful choices.

Saint Francis helped people to forgive each other and make peace.

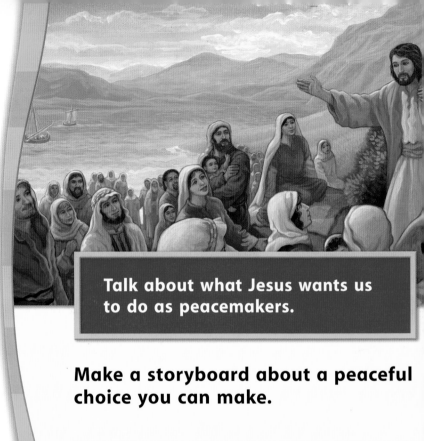

Talk about what Jesus wants us to do as peacemakers.

Make a storyboard about a peaceful choice you can make.